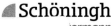

Gotthold Ephraim Lessing

Emilia Galotti

Ein Trauerspiel in fünf Aufzügen

Erarbeitet von
Martin Heider

Herausgegeben von
Johannes Diekhans

Bildnachweis:

|akg-images GmbH, Berlin: 94, 98; Ehrt 90. |Museumslandschaft Hessen Kassel, Kassel: 122.

westermann GRUPPE

© 1998 Ferdinand Schöningh, Paderborn

© ab 2004 Bildungshaus Schulbuchverlage
Westermann Schroedel Diesterweg Schöningh Winklers GmbH,
Georg-Westermann-Allee 66, 38104 Braunschweig
www.westermann.de

Druck A[31] / Jahr 2022
Alle Drucke der Serie A sind im Unterricht parallel verwendbar.

Umschlaggestaltung: Jennifer Kirchhof
Druck und Bindung: Westermann Druck Zwickau GmbH,
Crimmitschauer Straße 43, 08058 Zwickau

ISBN 978-3-14-**022280**-8

G. E. Lessing: Emilia Galotti

PERSONEN

EMILIA GALOTTI

ODOARDO und
CLAUDIA } GALOTTI, Eltern der Emilia

HETTORE GONZAGA, Prinz von Guastalla

MARINELLI, Kammerherr des Prinzen

CAMILLO ROTA, einer von des Prinzen Räten

CONTI, Maler

Graf APPIANI

Gräfin ORSINA

ANGELO und einige Bediente

Erster Aufzug

Die Szene: ein Kabinett[1] des Prinzen[2].

Erster Auftritt

DER PRINZ *(an einem Arbeitstische voller Briefschaften und Papiere, deren einige er durchläuft[3])*. Klagen, nichts als Klagen! Bittschriften, nichts als Bittschriften! – Die traurigen Geschäfte; und man beneidet uns noch! – Das glaub ich; wenn
5 wir allen helfen könnten: dann wären wir zu beneiden. – Emilia? *(Indem er noch eine von den Bittschriften aufschlägt und nach dem unterschriebenen Namen sieht.)* Eine Emilia? – Aber eine Emilia Bruneschi – nicht Galotti. Nicht Emilia Galotti! – Was will sie, diese Emilia Bruneschi? *(Er lieset[4].)*
10 Viel gefodert[5], sehr viel. – Doch sie heißt Emilia. Gewährt! *(Er unterschreibt und klingelt, worauf ein Kammerdiener hereintritt.)* Es ist wohl noch keiner von den Räten in dem Vorzimmer?

DER KAMMERDIENER. Nein.

15 DER PRINZ. Ich habe zu früh Tag gemacht. – Der Morgen ist so schön. Ich will ausfahren. Marchese[6] Marinelli soll mich begleiten. Lasst ihn rufen. *(Der Kammerdiener geht ab.)* – Ich kann doch nicht mehr arbeiten. – Ich war so ruhig, bild ich mir ein, so ruhig – Auf einmal muss eine
20 arme Bruneschi Emilia heißen: – weg ist meine Ruhe, und alles! –

DER KAMMERDIENER *(welcher wieder hereintritt)*. Nach dem Marchese ist geschickt. Und hier, ein Brief von der Gräfin Orsina.

25 DER PRINZ. Der Orsina? Legt ihn hin.

DER KAMMERDIENER. Ihr Läufer[7] wartet.

---

[1] Arbeitszimmer
[2] regierender Fürst
[3] überfliegt
[4] veraltet für liest
[5] gefordert
[6] ital. Adelstitel, etwa Graf
[7] fürstlicher Diener, der die Kutsche begleitet, auch Bote

DER PRINZ. Ich will die Antwort senden; wenn es einer bedarf.
– Wo ist sie? In der Stadt? oder auf ihrer Villa?[1]

DER KAMMERDIENER. Sie ist gestern in die Stadt gekommen.

5 DER PRINZ. Desto schlimmer – besser, wollt' ich sagen. So
braucht der Läufer umso weniger zu warten. *(Der Kammerdiener geht ab.)* Meine teure Gräfin! *(Bitter, indem er den Brief in die Hand nimmt)* So gut, als gelesen! *(und ihn wieder wegwirft.)* – Nun ja; ich habe sie zu lieben geglaubt! Was
10 glaubt man nicht alles? Kann sein, ich habe sie auch wirklich geliebt. Aber – ich habe!

DER KAMMERDIENER *(der nochmals hereintritt).* Der Maler Conti
will die Gnade haben –

DER PRINZ. Conti? Recht wohl; lasst ihn hereinkommen. –
15 Das wird mir andere Gedanken in den Kopf bringen. –
(Steht auf.)

Zweiter Auftritt

Conti. Der Prinz.

DER PRINZ. Guten Morgen, Conti. Wie leben Sie? Was macht
die Kunst?

CONTI. Prinz, die Kunst geht nach Brot[2].

20 DER PRINZ. Das muss sie nicht; das soll sie nicht – in meinem
kleinen Gebiete gewiss nicht. – Aber der Künstler muss
auch arbeiten wollen.

CONTI. Arbeiten? Das ist seine Lust. Nur zu viel arbeiten
müssen kann ihn um den Namen Künstler bringen.

25 DER PRINZ. Ich meine nicht vieles, sondern viel[3]; ein weniges,
aber mit Fleiß. – Sie kommen doch nicht leer[4], Conti?

CONTI. Ich bringe das Porträt, welches Sie mir befohlen haben, gnädiger Herr. Und bringe noch eines, welches Sie

---

[1] vornehmes Landhaus
[2] In Anlehnung an eine Formulierung M. Luthers aus den „Tischreden", der Künstler ist von seinem Auftraggeber abhängig.
[3] Sinngemäß: man soll nicht zu viel Verschiedenes arbeiten, sondern sich auf das Wesentliche beschränken.
[4] mit leeren Händen

mir nicht befohlen: aber weil es gesehen zu werden verdient –

DER PRINZ. Jenes ist? – Kann ich mich doch kaum erinnern –

CONTI. Die Gräfin Orsina.

5 DER PRINZ. Wahr! – Der Auftrag ist nur ein wenig von lange
her.

CONTI. Unsere schönen Damen sind nicht alle Tage zum
Malen. Die Gräfin hat, seit drei Monaten, gerade *einmal*
sich entschließen können zu sitzen.

10 DER PRINZ. Wo sind die Stücke?

CONTI. In dem Vorzimmer, ich hole sie.

Dritter Auftritt

DER PRINZ. Ihr Bild – mag![1] – Ihr Bild, ist sie doch nicht
selber. – Und vielleicht find ich in dem Bilde wieder, was
ich in der Person nicht mehr erblicke. – Ich will es aber
15 nicht wiederfinden. – Der beschwerliche[2] Maler! Ich glaube
gar, sie hat ihn bestochen. – Wär es auch! Wenn ihr ein
anderes Bild, das mit andern Farben, auf einem andern
Grund gemalet ist – in meinem Herzen wieder Platz machen will: – Wahrlich, ich glaube, ich wär es zufrieden. Als
20 ich dort liebte, war ich immer so leicht, so fröhlich, so aus-
gelassen. – Nun bin ich von allem das Gegenteil. – Doch
nein; nein, nein! Behäglicher[3] oder nicht behäglicher: Ich
bin so besser.

Vierter Auftritt

Der Prinz. Conti mit den Gemälden, wovon er das eine
verwandt[4] gegen einen Stuhl lehnet.

CONTI *(indem er das andere zurechtstellet).* Ich bitte, Prinz, dass
25 Sie die Schranken[5] unserer Kunst erwägen wollen.

---

[1] von frz. soit; sei es, nun gut
[2] lästige
[3] behaglicher, zufriedener
[4] umgedreht
[5] hier: Grenzen

Vieles von dem Anzüglichsten[1] der Schönheit liegt
ganz außer den Grenzen derselben. – Treten Sie
so –

DER PRINZ *(nach einer kurzen Betrachtung).* Vortrefflich,
5   Conti – ganz vortrefflich! – Das gilt Ihrer Kunst, Ihrem Pinsel. – Aber geschmeichelt, Conti; ganz unendlich geschmeichelt!

CONTI. Das Original[2] schien dieser Meinung nicht zu sein.
Auch ist es in der Tat nicht mehr geschmeichelt, als die
10   Kunst schmeicheln muss. Die Kunst muss malen, wie sich
die plastische Natur[3] – wenn es eine gibt – das Bild dachte:
ohne den Abfall[4], welchen der widerstrebende Stoff unvermeidlich macht; ohne den Verderb[5], mit welchem die Zeit
dagegen ankämpfet.

15 DER PRINZ. Der denkende Künstler ist noch eins[6] so viel
wert. – Aber das Original, sagen Sie, fand demungeach-
tet –

CONTI. Verzeihen Sie, Prinz. Das Original ist eine Person, die
meine Ehrerbietung fordert. Ich habe nichts Nachteiliges
20   von ihr äußern wollen.

DER PRINZ. So viel als Ihnen beliebt! – Und was sagte das Original?

CONTI. Ich bin zufrieden, sagte die Gräfin, wenn ich nicht
hässlicher aussehe.

25 DER PRINZ. Nicht hässlicher? – O das wahre Original!

CONTI. Und mit einer Miene sagte sie das – von der freilich
dieses ihr Bild keine Spur, keinen Verdacht zeiget.

DER PRINZ. Das meint' ich ja; das ist es eben, worin ich die unendliche Schmeichelei finde. – Oh! ich kenne sie, jene
30   stolze, höhnische Miene, die auch das Gesicht einer Grazie[7]
entstellen würde! – Ich leugne nicht, dass ein schöner

---

[1] Anziehendsten
[2] Gemeint ist die Gräfin Orsina, welche auf dem Gemälde abgebil-
    det ist.
[3] die bildende Natur
[4] das Zurückbleiben gegenüber dem Original, der abgebildeten Person
[5] das Verderben
[6] noch einmal
[7] Göttin der Anmut

Mund, der sich ein wenig spöttisch verziehet, nicht selten
um so viel schöner ist. Aber, wohl gemerkt, ein wenig: die
Verziehung muss nicht bis zur Grimasse gehen wie bei dieser Gräfin. Und Augen müssen über den wollüstigen Spöt-
5 ter[1] die Aufsicht führen – Augen, wie sie die gute Gräfin nun
gerade gar nicht hat. Auch nicht einmal hier im Bilde hat.

CONTI. Gnädiger Herr, ich bin äußerst betroffen –

DER PRINZ. Und worüber? Alles, was die Kunst aus den großen, hervorragenden[2], stieren[3], starren Medusenaugen[4] der
10 Gräfin Gutes machen kann, das haben Sie, Conti, redlich
daraus gemacht. – Redlich, sag ich? – Nicht so redlich wäre
redlicher. Denn sagen Sie selbst, Conti, lässt sich aus diesem Bilde wohl der Charakter der Person schließen? Und
das sollte doch. Stolz haben Sie in Würde, Hohn in Lächeln,
15 Ansatz zu trübsinniger Schwärmerei in sanfte Schwermut
verwandelt.

CONTI *(etwas ärgerlich)*. Ah, mein Prinz – wir Maler rechnen
darauf, dass das fertige Bild den Liebhaber noch ebenso
warm findet, als warm er[5] es bestellte. Wir malen mit Au-
20 gen der Liebe: und Augen der Liebe müssten uns auch nur
beurteilen.

DER PRINZ. Je nun, Conti – warum kamen Sie nicht einen Mo-
nat früher damit? – Setzen Sie weg. – Was ist das andere
Stück?

25 CONTI *(indem er es holt und noch verkehrt in der Hand hält)*.
Auch ein weibliches Porträt.

DER PRINZ. So möcht' ich es bald – lieber gar nicht sehen.
Denn dem Ideal hier *(mit dem Finger auf die Stirne)* –
oder vielmehr hier *(mit dem Finger auf das Herz)*
30 kömmt[6] es doch nicht bei. – Ich wünschte, Conti, Ihre
Kunst in andern Vorwürfen[7] zu bewundern.

---

[1] den genussvoll spottenden Mund
[2] hervorstehenden
[3] starr blickenden
[4] Meduse, weibl. Ungeheuer aus der griech. Mythologie, dessen Blick
    versteinerte
[5] wie begeistert er
[6] kommt nahe
[7] Gegenstände, Motive der Malerei

CONTI. Eine bewundernswürdigere Kunst gibt es, aber sicherlich keinen bewundernswürdigern Gegenstand als diesen.

DER PRINZ. Wo wett ich, Conti, dass es des Künstlers eigene Gebieterin ist. – *(Indem der Maler das Bild umwendet.)* Was seh ich? Ihr Werk, Conti? oder das Werk meiner Fantasie? – Emilia Galotti.

CONTI. Wie, mein Prinz, Sie kennen diesen Engel?

DER PRINZ *(indem er sich zu fassen sucht, aber ohne ein Auge von dem Bilde zu verwenden[1]).* So halb! – um sie eben wiederzuerkennen. – Es ist einige Wochen her, als ich sie mit ihrer Mutter in einer Vegghia[2] traf. – Nachher ist sie mir nur an heiligen Stätten wieder vorgekommen[3] – wo das Angaffen sich weniger ziemet. – Auch kenn ich ihren Vater. Er ist mein Freund nicht. Er war es, der sich meinen Ansprüchen auf Sabionetta[4] am meisten widersetzte. – Ein alter Degen[5], stolz und rau, sonst bieder und gut! –

CONTI. Der Vater! Aber hier haben wir seine Tochter. –

DER PRINZ. Bei Gott! wie aus dem Spiegel gestohlen! *(Noch immer die Augen auf das Bild geheftet.)* Oh, Sie wissen es ja wohl, Conti, dass man den Künstler dann erst recht lobt, wenn man über sein Werk sein Lob vergisst.

CONTI. Gleichwohl hat mich dieses noch sehr unzufrieden mit mir gelassen. – Und doch bin ich wiederum sehr zufrieden mit meiner Unzufriedenheit mit mir selbst. – Ha! dass wir nicht unmittelbar mit den Augen malen! Auf dem langen Wege, aus dem Auge durch den Arm in den Pinsel, wie viel geht da verloren! – Aber, wie ich sage, dass ich es weiß, was hier verlorengegangen und wie es verlorengegangen und warum es verlorengehen müssen: darauf bin ich ebenso stolz und stolzer, als ich auf alles das bin, was ich nicht verlorengehen lassen. Denn aus jenem

---

[1]   abzuwenden
[2]   ital. Abendgesellschaft
[3]   begegnet
[4]   Stammsitz einer Seitenlinie der Gonzaga, auf den die Fürsten von Guastalla Anspruch erhoben.
[5]   Haudegen, Krieger

erkenne ich, mehr als aus diesem, dass ich wirklich ein
großer Maler bin, dass es aber meine Hand nur nicht immer ist. – Oder meinen Sie, Prinz, dass Raffael[1] nicht das
größte malerische Genie gewesen wäre, wenn er unglückli-
cherweise ohne Hände wäre geboren worden? Meinen
Sie, Prinz?

DER PRINZ *(indem er nur eben von dem Bilde wegblickt).*
Was sagen Sie, Conti? Was wollen Sie wissen?

CONTI. O nichts, nichts! – Plauderei! Ihre Seele, merk ich,
war ganz in Ihren Augen. Ich liebe solche Seelen und solche Augen.

DER PRINZ *(mit einer erzwungenen Kälte).* Also, Conti,
rechnen Sie doch wirklich Emilia Galotti mit zu den vorzüglichsten Schönheiten unserer Stadt?

CONTI. Also? mit? mit zu den vorzüglichsten? und den vorzüglichsten unserer Stadt? – Sie spotten meiner, Prinz.
Oder Sie sahen die ganze Zeit ebenso wenig als Sie hörten.

DER PRINZ. Lieber Conti – *(Die Augen wieder auf das
Bild gerichtet.)* Wie darf unsereiner seinen Augen trauen?
Eigentlich weiß doch nur allein ein Maler von der Schön-
heit zu urteilen.

CONTI. Und eines jeden Empfindung sollte erst auf den Ausspruch eines Malers warten? – Ins Kloster mit dem, der es
von uns lernen will, was schön ist! Aber das muss ich Ihnen doch als Maler sagen, mein Prinz: eine von den größten Glückseligkeiten meines Lebens ist es, dass Emilia Galotti mir gesessen. Dieser Kopf, dieses Antlitz, diese Stirne,
diese Augen, diese Nase, dieser Mund, dieses Kinn, dieser
Hals, diese Brust, dieser Wuchs, dieser ganze Bau, sind,
von der Zeit an, mein einziges Studium der weiblichen
Schönheit. – Die Schilderei[2] selbst, wovor[3] sie gesessen,
hat ihr abwesender Vater bekommen. Aber diese Kopie –

DER PRINZ *(der sich schnell gegen ihn kehrt).* Nun, Conti? ist doch nicht schon versagt?[4]

---

[1] Raphaelo Santi (1483–1520), ital. Maler und Baumeister
[2] Gemälde
[3] für die
[4] vergeben, versprochen

CONTI. Ist für Sie, Prinz, wenn Sie Geschmack daran finden.

DER PRINZ. Geschmack! – *(Lächelnd.)* Dieses Ihr Studium der weiblichen Schönheit, Conti, wie könnt ich besser tun, als es auch zu dem meinigen zu machen? – Dort, jenes Porträt nehmen Sie nur wieder mit – einen Rahmen darum zu bestellen.

CONTI. Wohl!

DER PRINZ. So schön, so reich, als ihn der Schnitzer nur machen kann. Es soll in der Galerie aufgestellet werden. – Aber dieses bleibt hier. Mit einem Studio[1] macht man so viel Umstände nicht: auch lässt man das nicht aufhängen, sondern hat es gern bei der Hand. – Ich danke Ihnen, Conti; ich danke Ihnen recht sehr. – Und wie gesagt: in meinem Gebiete soll die Kunst nicht nach Brot gehen – bis ich selbst keines habe. – Schicken Sie, Conti, zu meinem Schatzmeister und lassen Sie auf Ihre Quittung für beide Porträte sich bezahlen – was Sie wollen. So viel Sie wollen, Conti.

CONTI. Sollte ich doch nun bald fürchten, Prinz, dass Sie so noch etwas anders belohnen wollen als die Kunst.

DER PRINZ. O des eifersüchtigen Künstlers![2] Nicht doch! – Hören Sie, Conti; so viel Sie wollen. *(Conti geht ab.)*

Fünfter Auftritt

DER PRINZ. So viel er will! – *(Gegen das Bild.)* Dich hab ich für jeden Preis noch zu wohlfeil. – Ah! schönes Werk der Kunst, ist es wahr, dass ich dich besitze? – Wer dich auch besäße, schönres Meisterstück der Natur! – Was Sie dafür wollen, ehrliche Mutter! Was du willst, alter Murrkopf! Fodre nur! Fodert nur! – Am liebsten kauft' ich dich, Zauberin, von dir selbst! – Dieses Auge voll Liebreiz und Bescheidenheit! Dieser Mund – Und wenn er sich zum Reden öffnet! wenn er lächelt! Dieser Mund! – Ich höre kommen. – Noch bin ich mit dir zu neidisch[3]. *(Indem er das*

---

[1] Versuchsstück

[2] O der eifersüchtige Künstler!

[3] hier: eifersüchtig

Bild gegen die Wand drehet.) Es wird Marinelli sein. Hätt ich ihn doch nicht rufen lassen! Was für einen Morgen könnt ich haben.

Sechster Auftritt

Marinelli. Der Prinz

MARINELLI. Gnädiger Herr, Sie werden verzeihen. – Ich war
5 mir eines so frühen Befehls nicht gewärtig.
DER PRINZ. Ich bekam Lust auszufahren. Der Morgen war so schön. – Aber nun ist er ja wohl verstrichen; und die Lust ist mir vergangen. – *(Nach einem kurzen Still-schweigen.)* Was haben wir Neues, Marinelli?
10 MARINELLI. Nichts von Belang, das ich wüsste. – Die Gräfin Orsina ist gestern zur Stadt gekommen.
DER PRINZ. Hier liegt auch schon ihr guter Morgen *(auf ihren Brief zeigend)* oder was es sonst sein mag! Ich bin gar nicht neugierig darauf. – Sie haben sie gesprochen?
15 MARINELLI. Bin ich, leider, nicht ihr Vertrauter? – Aber, wenn ich es wieder von einer Dame werde, der es ein-kömmt[1], Sie in gutem Ernste zu lieben, Prinz; so –
DER PRINZ. Nichts verschworen, Marinelli!
MARINELLI. Ja? In der Tat, Prinz? Könnt es doch kom-
20 men? – Oh! so mag die Gräfin auch so Unrecht nicht ha-ben.
DER PRINZ. Allerdings, sehr Unrecht! – Meine nahe Ver-mählung mit der Prinzessin von Massa[2] will durchaus, dass ich alle dergleichen Händel fürs Erste abbreche.
25 MARINELLI. Wenn es nur das wäre: so müsste freilich Orsi-na sich in ihr Schicksal ebenso wohl zu finden wissen als der Prinz in seines.
DER PRINZ. Das unstreitig härter ist als ihres. Mein Herz wird das Opfer eines elenden Staatsinteresses. Ihres darf sie nur
30 zurücknehmen, aber nicht wider Willen verschenken.
MARINELLI. Zurücknehmen? Warum zurücknehmen?, fragt die Gräfin: wenn es weiter nichts als eine Gemahlin ist, die

---

[1] einfällt
[2] ital. Provinz in der Toskana

dem Prinzen nicht die Liebe, sondern die Politik zuführet?
Neben so einer Gemahlin sieht die Geliebte noch immer
ihren Platz. Nicht so einer Gemahlin fürchtet sie aufgeopfert zu sein, sondern –

5 DER PRINZ. Einer neuen Geliebten. – Nun denn? Wollten
Sie mir daraus ein Verbrechen machen, Marinelli?

MARINELLI. Ich? – Oh! vermengen Sie mich ja nicht, mein
Prinz, mit der Närrin, deren Wort ich führe – aus Mitleid
führe. Denn gestern, wahrlich, hat sie mich sonderbar ge-
10 rühret. Sie wollte von ihrer Angelegenheit mit Ihnen gar
nicht sprechen. Sie wollte sich ganz gelassen und kalt stellen.
Aber mitten in dem gleichgültigsten Gespräche entfuhr
ihr eine Wendung, eine Beziehung[1] über die andere,
die ihr gefoltertes Herz verriet. Mit dem lustigsten Wesen
15 sagte sie die melancholischsten Dinge: und wiederum die
lächerlichsten Possen[2] mit der allertraurigsten Miene. Sie
hat zu den Büchern ihre Zuflucht genommen; und ich
fürchte, die werden ihr den Rest geben.

DER PRINZ. So wie sie ihrem armen Verstande auch den
20 ersten Stoß gegeben. – Aber was mich vornehmlich[3] mit
von ihr entfernt hat, das wollen Sie doch nicht brauchen,
Marinelli, mich wieder zu ihr zurückzubringen! – Wenn sie
aus Liebe närrisch wird, so wäre sie es, früher oder später,
auch ohne Liebe geworden – Und nun, genug von ihr –
25 Von etwas andern! – Geht denn gar nichts vor in der
Stadt?

MARINELLI. So gut wie gar nichts. – Denn dass die Verbindung
des Grafen Appiani heute vollzogen wird – ist nicht
viel mehr als gar nichts.

30 DER PRINZ. Des Grafen Appiani? und mit wem denn? – Ich
soll ja noch hören, dass er versprochen ist.

MARINELLI. Die Sache ist sehr geheim gehalten worden.
Auch war nicht viel Aufhebens davon zu machen. – Sie
werden lachen, Prinz. – Aber so geht es den Empfindsa-
35 men! Die Liebe spielet ihnen immer die schlimmsten Streiche.
Ein Mädchen ohne Vermögen und ohne Rang hat ihn

---

[1] Anspielung
[2] Unsinn
[3] insbesondere

in ihre Schlinge zu ziehen gewusst – mit ein wenig Larve[1],
aber mit vielem Prunke von Tugend und Gefühl und Witz[2]
– und was weiß ich?

DER PRINZ. Wer sich den Eindrücken, die Unschuld und
Schönheit auf ihn machen, ohne weitere Rücksicht so
ganz überlassen darf – ich dächte, der wäre eher zu beneiden als zu belachen. – Und wie heißt denn die Glückliche?
– Denn bei alledem ist Appiani – ich weiß wohl, dass Sie,
Marinelli, ihn nicht leiden können; ebenso wenig als er Sie
–, bei alledem ist er doch ein sehr würdiger junger Mann,
ein schöner Mann, ein reicher Mann, ein Mann voller Ehre. Ich hätte sehr gewünscht, ihn mir verbinden zu können. Ich werde noch darauf denken.

MARINELLI. Wenn es nicht zu spät ist. – Denn soviel ich höre,
ist sein Plan gar nicht, bei Hofe sein Glück zu machen. – Er
will mit seiner Gebieterin nach seinen Tälern von Piemont[3]
– Gemsen zu jagen, auf den Alpen, und Murmeltiere abzu-
richten. – Was kann er Besseres tun? Hier ist es durch das
Missbündnis[4], welches er trifft, mit ihm doch aus. Der Zirkel
der ersten Häuser[5] ist ihm von nun an verschlossen –

DER PRINZ. Mit euren ersten Häusern! – in welchen das Ze-
remoniell, der Zwang, die Langeweile und nicht selten die
Dürftigkeit herrschet. – Aber so nennen Sie mir sie doch,
der er dieses so große Opfer bringt.

MARINELLI. Es ist eine gewisse Emilia Galotti.

DER PRINZ. Wie, Marinelli? eine gewisse –

MARINELLI. Emilia Galotti.

DER PRINZ. Emilia Galotti? – Nimmermehr!

MARINELLI. Zuverlässig, gnädiger Herr.

DER PRINZ. Nein, sag ich; das ist nicht, das kann nicht sein.
– Sie irren sich in dem Namen. – Das Geschlecht der Ga-
lotti ist groß. – Eine Galotti kann es sein: aber nicht Emilia
Galotti, nicht Emilia!

MARINELLI. Emilia – Emilia Galotti!

---

[1] hier: Gesicht
[2] hier: Verstand, Geist
[3] Gebiet in den ital. Westalpen
[4] unpassende Heirat
[5] der Kreis der vornehmsten Familien

DER PRINZ. So gibt es noch eine, die beide Namen führt. –
Sie sagten ohnedem, eine gewisse Emilia Galotti – eine gewisse. Von der rechten kann nur ein Narr so sprechen.

MARINELLI. Sie sind außer sich, gnädiger Herr. – Kennen
5 Sie denn diese Emilia?

DER PRINZ. Ich habe zu fragen, Marinelli, nicht Er[1]. – Emilia Galotti? Die Tochter des Obersten Galotti, bei Sabionetta?

MARINELLI. Ebendie.

10 DER PRINZ. Die hier in Guastalla[2] mit ihrer Mutter woh-
net?

MARINELLI. Ebendie.

DER PRINZ. Unfern der Kirche Allerheiligen?

MARINELLI. Ebendie.

15 DER PRINZ. Mit einem Worte – *(Indem er nach dem Porträ-
te springt und es dem Marinelli in die Hand gibt.)* Da! –
Diese? Diese Emilia Galotti? – Sprich dein verdammtes
„Ebendie" noch einmal und stoß mir den Doch ins Herz!

MARINELLI. Ebendie!

20 DER PRINZ. Henker! – Diese? – Diese Emilia Galotti wird
heute –

MARINELLI. Gräfin Appiani! – *(Hier reißt der Prinz dem
Marinelli das Bild wieder aus der Hand und wirft es beiseite.)* Die Trauung geschiehet in der Stille, auf dem Land-
25 gute des Vaters bei Sabionetta. Gegen Mittag fahren Mutter und Tochter, der Graf und vielleicht ein paar Freunde
dahin ab.

DER PRINZ *(der sich voll Verzweiflung in einen Stuhl
wirft).* So bin ich verloren! – So will ich nicht leben!

30 MARINELLI. Aber was ist Ihnen, gnädiger Herr?

DER PRINZ *(der gegen ihn wieder aufspringt).* Verräter! –
was mir ist? – Nun ja, ich liebe sie; ich bete sie an. Mögt
ihr es doch wissen! Mögt ihr es doch längst gewusst haben, alle ihr, denen ich der tollen Orsina schimpfliche Fes-
35 seln lieber ewig tragen sollte! – Nur dass Sie, Marinelli, der
Sie so oft mich Ihrer innigsten Freundschaft versicherten –

---

[1] Indirekte Form der Anrede statt „Sie"; hier wird eine Herabset-
zung zum Ausdruck gebracht.
[2] Stadt in Oberitalien

O ein Fürst hat keinen Freund! kann keinen Freund haben! –, dass Sie, Sie, so treulos, so hämisch mir bis auf
diesen Augenblick die Gefahr verhehlen dürfen, die meiner Liebe drohte: wenn ich Ihnen jemals das vergebe – so
5 werde mir meiner Sünden keine vergeben!

MARINELLI. Ich weiß kaum Worte zu finden, Prinz – wenn
Sie mich auch dazu kommen ließen –, Ihnen mein Erstau-
nen zu bezeigen. – Sie lieben Emilia Galotti! – Schwur dann
gegen Schwur: Wenn ich von dieser Liebe das Geringste
10 gewusst, das Geringste vermutet habe, so möge weder Engel noch Heiliger von mir wissen! – Ebendas wollt ich in
die Seele der Orsina schwören. Ihr Verdacht schweift auf
einer ganz andern Fährte.

DER PRINZ. So verzeihen Sie mir, Marinelli – *(indem er*
15 *sich ihm in die Arme wirft)* und bedauern Sie mich.

MARINELLI. Nun da, Prinz! Erkennen Sie da die Frucht Ihrer
Zurückhaltung! – „Fürsten haben keinen Freund! können
keinen Freund haben!" – Und die Ursache, wenn dem so
ist? – Weil sie keinen haben wollen. – Heute beehren sie
20 uns mit ihrem Vertrauen, teilen uns ihre geheimsten Wünsche mit, schließen uns ihre ganze Seele auf: und morgen
sind wir ihnen wieder so fremd, als hätten sie nie ein Wort
mit uns gewechselt.

DER PRINZ. Ah! Marinelli, wie konnt' ich Ihnen vertrauen[1],
25 was ich mir selbst kaum gestehen wollte?

MARINELLI. Und also wohl noch weniger der Urheberin Ihrer Qual gestanden haben?

DER PRINZ. Ihr? – Alle meine Mühe ist vergebens gewesen,
sie ein zweites Mal zu sprechen.

30 MARINELLI. Und das erste Mal –

DER PRINZ. Sprach ich sie – Oh, ich komme von Sinnen!
Und soll ich Ihnen noch lange erzählen! – Sie sehen mich
einen Raub der Wellen: was fragen Sie viel, wie ich es geworden? Retten Sie mich, wenn Sie können: und fragen
35 Sie dann.

MARINELLI. Retten? ist da viel zu retten? – Was Sie ver-
säumt haben, gnädiger Herr, der Emilia Galotti zu bekennen, das bekennen Sie nun der Gräfin Appiani. Waren,

---

[1] hier: anvertrauen

die man aus der ersten Hand nicht haben kann, kauft man
aus der zweiten: – und solche Waren nicht selten aus der
zweiten umso viel wohlfeiler.

DER PRINZ. Ernsthaft, Marinelli, ernsthaft, oder –

5 MARINELLI. Freilich, auch umso viel schlechter –

DER PRINZ. Sie werden unverschämt!

MARINELLI. Und dazu will der Graf damit aus dem Lande. –
Ja, so müsste man auf etwas anders denken. –

DER PRINZ. Und auf was? – Liebster, bester Marinelli, den-
10 ken Sie für mich. Was würden Sie tun, wenn Sie an meiner Stelle wären?

MARINELLI. Vor allen Dingen eine Kleinigkeit als eine Kleinigkeit ansehen – und mir sagen, dass ich nicht vergebens
sein wolle, was ich bin – Herr!

15 DER PRINZ. Schmeicheln Sie mir nicht mit einer Gewalt,
von der ich hier keinen Gebrauch absehe. – Heute, sagen
Sie? schon heute?

MARINELLI. Erst heute – soll es geschehen. Und nur gesche-
henen Dingen ist nicht zu raten. – *(Nach einer kurzen*
20 *Überlegung.)* Wollen Sie mir freie Hand lassen, Prinz?
Wollen Sie alles genehmigen, was ich tue?

DER PRINZ. Alles, Marinelli, alles, was diesen Streich ab-
wenden kann.

MARINELLI. So lassen Sie uns keine Zeit verlieren. – Aber
25 bleiben Sie nicht in der Stadt. Fahren Sie sogleich nach
Ihrem Lustschlosse[1], nach Dosalo[2]. Der Weg nach Sabionetta geht da vorbei. Wenn es mir nicht gelingt, den Grafen augenblicklich zu entfernen: so denk ich – Doch, doch;
ich glaub er geht in diese Falle gewiss. Sie wollen ja, Prinz,
30 wegen Ihrer Vermählung einen Gesandten nach Massa
schicken? Lassen Sie den Grafen dieser Gesandte sein; mit
dem Bedinge[3], dass er noch heute abreiset. – Verstehen
Sie?

DER PRINZ. Vortrefflich! – Bringen Sie ihn zu mir heraus.
35 Gehen Sie, eilen Sie. Ich werfe mich sogleich in den Wagen. *(Marinelli geht ab.)*

---

[1] fürstl. Schloss auf dem Land
[2] Dosalo, Ort in Oberitalien
[3] Bedingung

Siebenter Auftritt

DER PRINZ. Sogleich, sogleich! – Wo blieb es? – *(sich nach
dem Porträte umsehend)* Auf der Erde? das war zu arg!
(Indem er es aufhebt.) Doch betrachten? betrachten mag
ich dich fürs Erste nicht mehr. – Warum sollt ich mir den
5 Pfeil[1] noch tiefer in die Wunde drücken? *(Setzt es beiseite.)* – Geschmachtet, geseufzet hab ich lange genug – länger als ich gesollt hätte ... aber nichts getan! und über die
zärtliche Untätigkeit bei einem Haar alles verloren! – Und
wenn nun doch alles verloren wäre? Wenn Marinelli nichts
10 ausrichtete? – Warum will ich mich auch auf ihn allein verlassen? Es fällt mir ein – um diese Stunde *(nach der Uhr
sehend)*, um diese nämliche Stunde[2] pflegt das fromme
Mädchen alle Morgen bei den Dominikanern[3] die Messe
zu hören. – Wie, wenn ich sie da zu sprechen suchte? –
15 Doch heute, heut an ihrem Hochzeittage – heute werden
ihr andere Dinge am Herzen liegen als die Messe. – Indes,
wer weiß? – Es ist ein Gang. – *(Er klingelt, und indem er
einige von den Papieren auf dem Tische hastig zusam-
menrafft, tritt der Kammerdiener herein.)* Lasst vorfah-
20 ren! – Ist noch keiner von den Räten da?
DER KAMMERDIENER. Camillo Rota.
DER PRINZ. Er soll hereinkommen. *(Der Kammerdiener
geht ab.)* Nur aufhalten muss er mich nicht wollen. Das-
mal[4] nicht! – Ich stehe gern seinen Bedenklichkeiten[5] ein
25 andermal um so viel länger zu Diensten. – Da war ja noch
die Bittschrift einer Emilia Bruneschi. – *(Sie suchend.)* Die
ist's. – Aber, gute Bruneschi, wo deine Vorsprecherin – [6]

---

[1] Amors Liebespfeil
[2] um diese Zeit
[3] in der Kirche der Dominikaner
[4] diesmal
[5] Bedenken
[6] Sinngemäß ergänzt: Wenn deine Fürsprecherin (E. Galotti) die Liebe nicht positiv beantwortet, wird der Antrag der E. B. abgelehnt.

Achter Auftritt

Camillo Rota, Schriften in der Hand. Der Prinz.

DER PRINZ. Kommen Sie, Rota, kommen Sie. – Hier ist, was ich diesen Morgen erbrochen[1]. Nicht viel Tröstliches! – Sie werden von selbst sehen, was darauf zu verfügen. – Nehmen Sie nur.

5 CAMILLO ROTA. Gut, gnädiger Herr.

DER PRINZ. Noch ist hier eine Bittschrift einer Emilia Galot ... Bruneschi will ich sagen. – Ich habe meine Bewilligung zwar schon beigeschrieben. Aber doch – die Sache ist keine Kleinigkeit. – Lassen Sie die Ausfertigung noch

10 anstehen[2]. – Oder auch nicht anstehen: wie Sie wollen.

CAMILLO ROTA. Nicht wie ich will, gnädiger Herr.

DER PRINZ. Was ist sonst? Etwas zu unterschreiben?

CAMILLO ROTA. Ein Todesurteil wäre zu unterschreiben.

DER PRINZ. Recht gern. – Nur her! geschwind.

15 CAMILLO ROTA *(stutzig und den Prinzen starr ansehend)*. Ein Todesurteil – sagt' ich.

DER PRINZ. Ich höre ja wohl. – Es könnte schon geschehen sein. Ich bin eilig.

CAMILLO ROTA *(seine Schriften nachsehend)*. Nun hab ich es

20 doch wohl nicht mitgenommen! – Verzeihen Sie, gnädiger Herr. – Es kann Anstand[3] damit haben bis morgen.

DER PRINZ. Auch das! – Packen Sie nur zusammen; ich muss fort – Morgen Rota, ein Mehres![4] *(Geht ab.)*

25 CAMILLO ROTA *(den Kopf schüttelnd, indem er die Papiere zu sich nimmt und abgeht)*. Recht gern? – Ein Todesurteil recht gern? – Ich hätt es ihn in diesem Augenblick nicht mögen unterschreiben lassen, und wenn es den Mörder meines einzigen Sohnes betroffen hätte. – Recht gern!

30 Recht gern! – Es geht mir durch die Seele dieses grässliche Recht gern!

---

[1]   geöffnet
[2]   warten Sie mit der endgültigen Genehmigung noch
[3]   Aufschub
[4]   alles Weitere

Zweiter Aufzug

Die Szene: ein Saal in dem Hause der Galotti.

Erster Auftritt

Claudia Galotti. Pirro.

CLAUDIA *(im Heraustreten zu Pirro, der von der andern Seite hereintritt)*. Wer sprengte[1] da in den Hof?

PIRRO. Unser Herr, gnädige Frau.

CLAUDIA. Mein Gemahl. Ist es möglich?

5 PIRRO. Er folgt mir auf dem Fuße.

CLAUDIA. So unvermutet? – *(Ihm entgegeneilend.)* Ach! mein Bester! –

Zweiter Auftritt

Odoardo Galotti und die Vorigen.

ODOARDO. Guten Morgen, meine Liebe! – Nicht wahr, das heißt überraschen?

10 CLAUDIA. Und auf die angenehmste Art! – Wenn es anders nur eine Überraschung sein soll.

ODOARDO. Nichts weiter! Sei unbesorgt. – Das Glück des heutigen Tages weckte mich so früh; der Morgen war so schön; der Weg ist so kurz; ich vermutete euch hier so ge-

15 schäftig – Wie leicht vergessen sie etwas, fiel mir ein. – Mit einem Worte: ich komme, und sehe, und kehre sogleich wieder zurück. – Wo ist Emilia? Unstreitig[2] beschäftigt mit dem Putze? –

CLAUDIA. Ihrer Seele! – Sie ist in der Messe. – „Ich habe

20 heute, mehr als jeden andern Tag, Gnade von oben zu erflehen", sagte sie und ließ alles liegen und nahm ihren Schleier und eilte –

ODOARDO. Ganz allein?

CLAUDIA. Die wenigen Schritte –

25 ODOARDO. Einer ist genug zu einem Fehltritt! –

---

[1] galoppierte
[2] zweifellos

CLAUDIA. Zürnen Sie nicht, mein Bester; und kommen Sie herein – einen Augenblick auszuruhen und, wann[1] Sie wollen, eine Erfrischung zu nehmen.

ODOARDO. Wie du meinst, Claudia. – Aber sie sollte nicht
5 allein gegangen sein. –

CLAUDIA. Und Ihr, Pirro, bleibt hier in dem Vorzimmer, alle Besuche auf heute zu verbitten.

Dritter Auftritt

Pirro und bald darauf Angelo.

PIRRO. Die sich nur aus Neugierde melden lassen. – Was bin ich seit einer Stunde nicht alles ausgefragt worden! – Und
10 wer kömmt da?

ANGELO *(noch halb hinter der Szene, in einem kurzen Mantel, den er über das Gesicht gezogen, den Hut in der Stirne).* Pirro! – Pirro!

PIRRO. Ein Bekannter? – *(Indem Angelo vollends herein-*
15 *tritt und den Mantel auseinanderschlägt.)* Himmel! Angelo? – Du?

ANGELO. Wie du siehst. – Ich bin lange genug um das Haus herumgegangen, dich zu sprechen. – Auf ein Wort! –

PIRRO. Und du wagst es, wieder ans Licht zu kommen? –
20 Du bist seit deiner letzten Mordtat vogelfrei erkläret; auf deinen Kopf steht eine Belohnung –

ANGELO. Die doch du nicht wirst verdienen wollen? –

PIRRO. Was willst du? – Ich bitte dich, mache mich nicht unglücklich.

25 ANGELO. Damit etwa? *(Ihm einen Beutel mit Gelde zeigend.)* – Nimm! Es gehöret dir!

PIRRO. Mir?

ANGELO. Hast du vergessen? Der Deutsche, dein voriger Herr –

30 PIRRO. Schweig davon!

ANGELO. Den du uns, auf dem Wege nach Pisa[2], in die Falle führtest –

---

[1] wenn
[2] Stadt in der Toskana

PIRRO. Wenn uns jemand hörte!

ANGELO. Hatte ja die Güte, uns auch einen kostbaren Ring
zu hinterlassen. – Weißt du nicht? – Er war zu kostbar, der
Ring, als dass wir ihn sogleich ohne Verdacht hätten zu
5 Gelde machen können. Endlich ist mir es damit gelungen.
Ich habe hundert Pistolen[1] dafür erhalten, und das ist dein
Anteil. Nimm!

PIRRO. Ich mag nicht – behalt alles.

ANGELO. Meinetwegen! – wenn es dir gleichviel ist, wie
10 hoch du deinen Kopf feil trägst[2] – *(Als ob er den Beutel
wieder einstecken wollte.)*

PIRRO. So gib nur! *(nimmt ihn)* – Und was nun? Denn dass
du bloß deswegen mich aufgesucht haben solltest –

ANGELO. Das kömmt dir nicht so recht glaublich vor? – Ha-
15 lunke! Was denkst du von uns? – dass wir fähig sind, jemand seinen Verdienst vorzuenthalten? Das mag unter den
sogenannten ehrlichen Leuten Mode sein: unter uns nicht.
– Leb wohl! – *(Tut, als ob er gehen wollte, und kehrt
wieder um.)* Eins muss ich doch fragen. – Da kam ja der
20 alte Galotti so ganz allein in die Stadt gesprengt. Was will
der?

PIRRO. Nichts will er; ein bloßer Spazierritt. Seine Tochter
wird heut Abend auf dem Gute, von dem er herkömmt,
dem Grafen Appiani angetrauet. Er kann die Zeit nicht er-
25 warten –

ANGELO. Und reitet bald wieder hinaus?

PIRRO. So bald, dass er dich hier trifft, so du noch lange ver-
ziehest.[3] – Aber du hast doch keinen Anschlag auf ihn?
Nimm dich in Acht. Er ist ein Mann –

30 ANGELO. Kenn ich ihn nicht? Hab ich nicht unter ihm ge-
dienet? – Wenn darum bei ihm nur viel zu holen wäre! –
Wenn fahren die junge Leute[4] nach?

PIRRO. Gegen Mittag.

ANGELO. Mit viel Begleitung?

35 PIRRO. In einem einzigen Wagen: die Mutter, die Tochter

---

1 Goldmünze im Wert von 5 Talern
2 wenn es dir gleichgültig ist, für wie viel Geld du dich verkaufst
3 wenn du dich noch lange hier aufhältst
4 hier: das Brautpaar

und der Graf. Ein paar Freunde kommen aus Sabionetta als Zeugen[1].

ANGELO. Und Bediente?

PIRRO. Nur zwei; außer mir, der ich zu Pferde voraufreiten soll.

5 ANGELO. Das ist gut. – Noch eins: wessen ist die Equipage?[2] Ist es eure? oder des Grafen?

PIRRO. Des Grafen.

ANGELO. Schlimm! Da ist noch ein Vorreiter, außer einem handfesten Kutscher. Doch! –

10 PIRRO. Ich erstaune. Aber was willst du? – Das bisschen Schmuck, das die Braut etwa haben dürfte, wird schwerlich der Mühe lohnen –

ANGELO. So lohnt ihrer die Braut selbst!

PIRRO. Und auch bei diesem Verbrechen soll ich dein Mit-

15 schuldiger sein?

ANGELO. Du reitest vorauf. Reite doch, reite! und kehre dich an nichts!

PIRRO. Nimmermehr!

ANGELO. Wie? ich glaube gar, du willst den Gewissenhaften

20 spielen. Bursche! ich denke, du kennst mich. – Wo du plauderst! Wo sich ein einziger Umstand anders findet, als du mir ihn angegeben! –

PIRRO. Aber, Angelo, um des Himmels willen! –

ANGELO. Tu, was du nicht lassen kannst! *(Geht ab.)*

25 PIRRO. Ha! Lass dich den Teufel bei *einem* Haare fassen, und du bist sein auf ewig! Ich Unglücklicher!

Vierter Auftritt

Odoardo und Claudia Galotti. Pirro.

ODOARDO. Sie bleibt mir zu lang aus –

CLAUDIA. Noch einen Augenblick, Odoardo! Es würde sie schmerzen, deines Anblicks so zu verfehlen[3].

30 ODOARDO. Ich muss auch bei dem Grafen noch einsprechen. Kaum kann ich's erwarten, diesen würdigen jungen

---

[1] hier: Trauzeugen

[2] frz. Kutsche

[3] …wenn sie dich nicht mehr sehen würde

Mann meinen Sohn zu nennen. Alles entzückt mich an
ihm. Und vor allem der Entschluss, in seinen väterlichen
Tälern sich selbst zu leben.[1]

CLAUDIA. Das Herz bricht mir, wenn ich hieran gedenke. –
5   So ganz sollen wir sie verlieren, diese einzige, geliebte
Tochter?

ODOARDO. Was nennst du, sie verlieren? Sie in den Armen
der Liebe zu wissen? Vermenge dein Vergnügen an ihr nicht
mit ihrem Glücke. – Du möchtest meinen alten Argwohn er-
10 neuern: – dass es mehr das Geräusch und die Zerstreuung
der Welt, mehr die Nähe des Hofes war als die Notwendig-
keit, unserer Tochter eine anständige Erziehung zu geben,
was dich bewog, hier in der Stadt mit ihr zu bleiben – fern
von einem Manne und Vater, der euch so herzlich liebet.

15 CLAUDIA. Wie ungerecht, Odoardo! Aber lass mich heute
nur ein einziges Wort für diese Stadt, für diese Nähe des
Hofes sprechen, die deiner strengen Tugend so verhasst
sind. – Hier, nur hier konnte die Liebe zusammenbringen,
was füreinander geschaffen war. Hier nur konnte der Graf
20 Emilien finden; und fand sie.

ODOARDO. Das räum ich ein. Aber, gute Claudia, hattest du
darum Recht, weil dir der Ausgang Recht gibt? – Gut, dass
es mit dieser Stadterziehung so abgelaufen! Lass uns nicht
weise sein wollen, wo wir nichts als glücklich gewesen!
25 Gut, dass es so damit abgelaufen! – Nun haben sie sich gefunden, die füreinander bestimmt waren: nun lass sie ziehen, wohin Unschuld und Ruhe sie rufen. – Was sollte der
Graf hier? Sich bücken, schmeicheln und kriechen und die
Marinellis auszustechen suchen? um endlich ein Glück zu
30 machen, dessen er nicht bedarf? um endlich einer Ehre ge-
würdiget zu werden, die für ihn keine wäre? – Pirro!

PIRRO. Hier bin ich.

ODOARDO. Geh und führe mein Pferd vor das Haus des
Grafen. Ich komme nach und will mich da wieder aufset-
35 zen. (*Pirro geht ab.*) – Warum soll der Graf hier dienen,
wenn er dort selbst befehlen kann? – Dazu bedenkest du
nicht, Claudia, dass durch unsere Tochter er es vollends
mit dem Prinzen verderbt. Der Prinz hasst mich –

---

[1] ganz sein eigenes Leben zu leben

CLAUDIA. Vielleicht weniger, als du besorgest.[1]

ODOARDO. Besorgest! Ich besorg auch so was.[2]

CLAUDIA. Denn hab ich dir schon gesagt, dass der Prinz unsere Tochter gesehen hat?

5 ODOARDO. Der Prinz? Und wo das?

CLAUDIA. In der letzten Vegghia, bei dem Kanzler Grimaldi, die er mit seiner Gegenwart beehrte. Er bezeigte sich gegen sie so gnädig –

ODOARDO. So gnädig?

10 CLAUDIA. Er unterhielt sich mit ihr so lange –

ODOARDO. Unterhielt sich mit ihr?

CLAUDIA. Schien von ihrer Munterkeit und ihrem Witze so bezaubert –

ODOARDO. So bezaubert? –

15 CLAUDIA. Hat von ihrer Schönheit mit so vielen Lobeserhebungen gesprochen –

ODOARDO. Lobeserhebungen? Und das alles erzählst du mir in einem Tone der Entzückung? O Claudia! eitle, törichte Mutter!

20 CLAUDIA. Wieso?

ODOARDO. Nun gut, nun gut! Auch das ist so abgelaufen. – Ha! wenn ich mir einbilde – Das gerade wäre der Ort, so ich am tödlichsten zu verwunden bin! – Ein Wollüstling, der bewundert, begehrt. – Claudia! Claudia! der bloße Gedanke setzt
25 mich in Wut. – Du hättest mir das sogleich sollen gemeldet haben. – Doch, ich möchte dir heute nicht gern etwas Unangenehmes sagen. Und ich würde *(indem sie ihn bei der Hand ergreift)*, wenn ich länger bliebe. – Drum lass mich! lass mich! – Gott befohlen, Claudia! – Kommt glücklich nach!

Fünfter Auftritt

Claudia Galotti.

CLAUDIA GALOTTI. Welch ein Mann! – Oh, der rauen Tugend! – wenn anders[3] sie diesen Namen verdient. – Al-

---

[1] befürchtest

[2] ironisch: als wenn ich so etwas zu befürchten hätte

[3] sofern

les scheint verdächtig, alles strafbar! – Oder, wenn das die
Menschen kennen heißt: – wer sollte sich wünschen, sie zu
kennen? – Wo bleibt aber auch Emilia? – Er ist des Vaters
Feind: folglich – folglich, wenn er ein Auge für die Tochter
5   hat, so ist es einzig um ihn zu beschimpfen? –

Sechster Auftritt

Emilia und Claudia Galotti.

EMILIA *(stürzet in einer ängstlichen Verwirrung herein).*
Wohl mir! wohl mir! – Nun bin ich in Sicherheit. Oder ist
er mir gar gefolgt? *(Indem sie den Schleier zurückwirft
und ihre Mutter erblicket.)* Ist er, meine Mutter? ist er? –
10   Nein, dem Himmel sei Dank!
CLAUDIA. Was ist dir, meine Tochter? was ist dir?
EMILIA. Nichts, nichts –
CLAUDIA. Und blickest so wild um dich? Und zitterst an jedem Gliede?
15 EMILIA. Was hab ich hören müssen? Und wo, wo hab ich es
hören müssen?
CLAUDIA. Ich habe dich in der Kirche geglaubt –
EMILIA. Eben da! Was ist dem Laster Kirch' und Altar? –
Ach, meine Mutter! *(Sich ihr in die Arme werfend.)*
20 CLAUDIA. Rede, meine Tochter! – Mach meiner Furcht ein
Ende. – Was kann dir da, an heiliger Stätte, so Schlimmes
begegnet sein?
EMILIA. Nie hätte meine Andacht inniger, brünstiger sein
sollen als heute: nie ist sie weniger gewesen, was sie sein
25   sollte.
CLAUDIA. Wir sind Menschen, Emilia. Die Gabe zu beten ist
nicht immer in unserer Gewalt. Dem Himmel ist beten
wollen auch beten.
EMILIA. Und sündigen wollen auch sündigen.
30 CLAUDIA. Das hat meine Emilia nicht wollen!
EMILIA. Nein, meine Mutter; so tief ließ mich die Gnade
nicht sinken. – Aber dass fremdes Laster uns, wider unsern Willen, zu Mitschuldigen machen kann!
CLAUDIA. Fasse dich! – Sammle deine Gedanken, soviel dir
35   möglich. – Sag es mir mit eins, was dir geschehen.

EMILIA. Eben hatt' ich mich – weiter von dem Altare, als ich
sonst pflege – denn ich kam zu spät –, auf meine Knie gelassen. Eben fing ich an, mein Herz zu erheben: als dicht
hinter mir etwas seinen Platz nahm. So dicht hinter mir! –
5   Ich konnte weder vor noch zur Seite rücken – so gern ich
auch wollte; aus Furcht, dass eines andern Andacht mich
in meiner stören möchte. – Andacht! das war das
Schlimmste, was ich besorgte. – Aber es währte nicht lange, so hört' ich, ganz nah an meinem Ohre – nach einem
10 tiefen Seufzer – nicht den Namen einer Heiligen – den Namen – zürnen Sie nicht, meine Mutter – den Namen Ihrer
Tochter! – Meinen Namen! – O dass laute Donner mich
verhindert hätten, mehr zu hören! – Es sprach von Schönheit, von Liebe – Es klagte, dass dieser Tag, welcher mein
15 Glück mache – wenn er es anders mache – sein Unglück
auf immer entscheide. – Es beschwor mich – hören musst'
ich dies alles. Aber ich blickte nicht um; ich wollte tun, als
ob ich es nicht hörte. – Was konnt' ich sonst? – Meinen
guten Engel bitten, mich mit Taubheit zu schlagen; und
20 wann auch, wenn auch auf immer! – Das bat ich; das war
das Einzige, was ich beten konnte. – Endlich ward es Zeit
mich wieder zu erheben. Das heilige Amt ging zu Ende.
Ich zitterte, mich umzukehren. Ich zitterte, ihn zu erblicken, der sich den Frevel erlauben dürfen. Und da ich mich
25 umwandte, da ich ihn erblickte –
CLAUDIA. Wen, meine Tochter?
EMILIA. Raten Sie, meine Mutter, raten Sie – Ich glaubte in
die Erde zu sinken – Ihn selbst.
CLAUDIA. Wen, ihn selbst?
30 EMILIA. Den Prinzen.
CLAUDIA. Den Prinzen! – O gesegnet sei die Ungeduld deines Vaters, der eben hier war und dich nicht erwarten
wollte!
EMILIA. Mein Vater hier? – und wollte mich nicht erwarten?
35 CLAUDIA. Wenn du in deiner Verwirrung auch ihn das hättest hören lassen!
EMILIA. Nun, meine Mutter? – Was hätt er an mir Strafbares
finden können?
CLAUDIA. Nichts, ebenso wenig als an mir. Und doch, doch
40 – Ha, du kennest deinen Vater nicht! In seinem Zorne hätt

er den unschuldigen Gegenstand des Verbrechens mit dem
Verbrecher verwechselt. In seiner Wut hätt ich ihm ge-
schienen, das veranlasst zu haben, was ich weder verhindern noch vorhersehen können. – Aber weiter, meine
Tochter, weiter! Als du den Prinzen erkanntest – Ich will
hoffen, dass du deiner mächtig genug warest, ihm in *einem* Blicke alle die Verachtung zu bezeigen, die er verdie-
net.

EMILIA. Das war ich nicht, meine Mutter! Nach dem Blicke,
mit dem ich ihn erkannte, hatt ich nicht das Herz, einen
zweiten auf ihn zu richten. Ich floh –

CLAUDIA. Und der Prinz dir nach –

EMILIA. Was ich nicht wusste, bis ich in der Halle[1] mich bei
der Hand ergriffen fühlte. Und von ihm! Aus Scham musst'
ich standhalten: mich von ihm loszuwinden, würde die
Vorbeigehenden zu aufmerksam auf uns gemacht haben.
Das war die einzige Überlegung, deren ich fähig war –
oder deren ich nun mich wieder erinnere. Er sprach; und
ich hab ihm geantwortet. Aber was er sprach, was ich ihm
geantwortet – fällt mir es noch bei, so ist es gut, so will ich
es Ihnen sagen, meine Mutter. Jetzt weiß ich von dem allen nichts. Meine Sinne hatten mich verlassen. – Umsonst
denk ich nach, wie ich von ihm weg und aus der Halle gekommen. Ich finde mich erst auf der Straße wieder, und
höre ihn hinter mir herkommen, und höre ihn mit mir
zugleich in das Haus treten, mit mir die Treppe hinaufstei-
gen –

CLAUDIA. Die Furcht hat ihren besondern Sinn, meine Tochter! Ich werde es nie vergessen, mit welcher Gebärde du he-
reinstürzest. – Nein, so weit durfte er nicht wagen, dir zu
folgen. – Gott! Gott! wenn dein Vater das wüsste! – Wie
wild er schon war, als er nur hörte, dass der Prinz dich
jüngst nicht ohne Missfallen[2] gesehen! – Indes, sei ruhig,
meine Tochter! Nimm es für einen Traum, was dir begegnet
ist. Auch wird es noch weniger Folgen haben als ein Traum.
Du entgehest heute mit eins[3] allen Nachstellungen.

---

[1] Vorraum der Kirche
[2] mit Wohlgefallen, interessiert angesehen
[3] für immer

EMILIA. Aber, nicht, meine Mutter? Der Graf muss das wissen. Ihm muss ich es sagen.

CLAUDIA. Um alle Welt nicht! – Wozu? warum? Willst du für nichts und wieder für nichts ihn unruhig machen? Und

5 wann er es auch itzt nicht würde: wisse, mein Kind, dass ein Gift, welches nicht gleich wirket, darum kein minder gefährliches Gift ist. Was auf den Liebhaber keinen Eindruck macht, kann ihn auf den Gemahl machen. Den Liebhaber könnt es sogar schmeicheln, einem so wichti-

10 gen Mitbewerber den Rang abzulaufen. Aber wenn er ihm den nun einmal abgelaufen hat: ah! mein Kind – so wird aus dem Liebhaber oft ein ganz anderes Geschöpf. Dein gutes Gestirn behüte dich vor dieser Erfahrung.

EMILIA. Sie wissen, meine Mutter, wie gern ich Ihren bes-

15 sern Einsichten mich in allem unterwerfe. – Aber, wenn er es von einem andern erführe, dass der Prinz mich heute gesprochen? Würde mein Verschweigen nicht, früh oder spät, seine Unruhe vermehren? – Ich dächte doch, ich behielte lieber vor ihm nichts auf dem Herzen.

20 CLAUDIA. Schwachheit! verliebte Schwachheit! – Nein, durchaus nicht, meine Tochter! Sag ihm nichts. Lass ihn nichts merken!

EMILIA. Nun ja, meine Mutter! Ich habe keinen Willen gegen den Ihrigen. – Aha! *(Mit einem tiefen Atemzuge.)* Auch

25 wird mir wieder ganz leicht. – Was für ein albernes, furchtsames Ding ich bin! – Nicht, meine Mutter? – Ich hätte mich noch wohl anders dabei nehmen können und würde mir ebenso wenig vergeben haben.

CLAUDIA. Ich wollte dir das nicht sagen, meine Tochter, be-

30 vor dir es dein eigner gesunder Verstand sagte. Und ich wusste, er würde dir es sagen, sobald du wieder zu dir selbst gekommen. – Der Prinz ist galant. Du bist die unbedeutende Sprache der Galanterie[1] zu wenig gewohnt. Eine Höflichkeit wird in ihr zur Empfindung, eine Schmei-

35 chelei zur Beteurung, ein Einfall zum Wunsche, ein Wunsch zum Vorsatze. Nichts klingt in dieser Sprache wie alles, und alles ist in ihr so viel als nichts.

---

[1] Sprache der übertriebenen Höflichkeit in der feudalen Gesellschaft

EMILIA. O meine Mutter! – so müsste ich mir mit meiner
Furcht vollends lächerlich vorkommen! – Nun soll er gewiss nichts davon erfahren, mein guter Appiani! Er könnte
mich leicht für mehr eitel als tugendhaft halten. – Hui! dass
5 er da selbst kömmt! Es ist sein Gang.

Siebenter Auftritt

Graf Appiani. Die Vorigen.

APPIANI *(tritt tiefsinnig, mit vor sich hin geschlagenen Augen herein und kömmt näher, ohne sie zu erblicken; bis
Emilia ihm entgegenspringt).* Ah, meine Teuerste! – Ich
war mir Sie in dem Vorzimmer nicht vermutend.[1]
10 EMILIA. Ich wünschte Sie heiter, Herr Graf, auch wo Sie
mich nicht vermuten. – So feierlich? so ernsthaft? – Ist dieser Tag keiner freudigern Aufwallung[2] wert?
APPIANI. Er ist mehr wert als mein ganzes Leben. Aber
schwanger mit[3] so viel Glückseligkeit für mich – mag es
15 wohl diese Glückseligkeit selbst sein, die mich so ernst, die
mich, wie Sie es nennen, mein Fräulein, so feierlich
macht. – *(Indem er die Mutter erblickt.)* Ha! auch Sie
hier, meine gnädige Frau! – nun bald mir mit einem inni-
gern Namen zu verehrende!
20 CLAUDIA. Der mein größter Stolz sein wird! – Wie glücklich
bist du, meine Emilia! – Warum hat dein Vater unsere Entzückung nicht teilen wollen?
APPIANI. Eben habe ich mich aus seinen Armen gerissen: –
oder vielmehr, er sich aus meinen. – Welch ein Mann, mei-
25 ne Emilia, Ihr Vater! Das Muster aller männlichen Tugend!
Zu was für Gesinnungen erhebt sich meine Seele in seiner
Gegenwart! Nie ist mein Entschluss, immer gut, immer edel
zu sein, lebendiger, als wenn ich ihn sehe – wenn ich ihn
mir denke. Und womit sonst als mit der Erfüllung dieses
30 Entschlusses kann ich mich der Ehre würdig machen, sein
Sohn zu heißen – der Ihrige zu sein, meine Emilia?

---

[1] Ich habe Sie in dem Vorzimmer nicht vermutet.
[2] starkes Gefühl
[3] hier: verbunden mit

EMILIA. Und er wollte mich nicht erwarten!

APPIANI. Ich urteile, weil ihn seine Emilia, für diesen augenblicklichen Besuch, zu sehr erschüttert, zu sehr sich seiner ganzen Seele bemächtiget hätte.

5 CLAUDIA. Er glaubte dich mit deinem Brautschmucke beschäftiget zu finden und hörte –

APPIANI. Was ich mit der zärtlichsten Bewunderung wieder von ihm gehört habe. – So recht, meine Emilia! Ich werde eine fromme Frau an Ihnen haben, und die nicht stolz auf

10 ihre Frömmigkeit ist.

CLAUDIA Aber, meine Kinder, eines tun und das andere nicht lassen! – Nun ist es hohe Zeit; nun mach, Emilia.

APPIANI. Was! meine gnädige Frau.

CLAUDIA. Sie wollen sie doch nicht so, Herr Graf – so wie

15 sie da ist, zum Altare führen?

APPIANI. Wahrlich, das werd ich nun erst gewahr. – Wer kann Sie sehen, Emilia, und auch auf Ihren Putz[1] achten? – Und warum nicht so, so wie sie da ist?

EMILIA. Nein, mein lieber Graf, nicht so; nicht ganz so. Aber

20 auch nicht viel prächtiger, nicht viel. – Husch, husch, und ich bin fertig! – Nichts, gar nichts von dem Geschmeide, dem letzten Geschenke Ihrer verschwenderischen Großmut! Nichts, gar nichts, was sich nur zu solchem Geschmeide schickte! – Ich könnte ihm gram[2] sein, diesem

25 Geschmeide, wenn es nicht von Ihnen wäre. Denn dreimal hat mir von ihm geträumet –

CLAUDIA. Nun! davon weiß ich ja nichts.

EMILIA. Als ob ich es trüge, und als ob plötzlich sich jeder Stein desselben in eine Perle verwandele. – Perlen aber,

30 meine Mutter, Perlen bedeuten Tränen.

CLAUDIA. Kind! – Die Bedeutung ist träumerischer als der Traum. – Warest du nicht von jeher eine größere Liebhaberin von Perlen als von Steinen? –

EMILIA. Freilich, meine Mutter, freilich –

35 APPIANI *(nachdenkend und schwermütig).* Bedeuten Tränen – bedeuten Tränen!

EMILIA. Wie? Ihnen fällt das auf? Ihnen?

---

[1] Kleidung
[2] böse

APPIANI. Jawohl, ich sollte mich schämen. – Aber, wenn die
Einbildungskraft einmal zu traurigen Bildern gestimmt ist –
EMILIA. Warum ist sie das auch? – Und was meinen Sie, das
ich mir ausgedacht habe? – Was trug ich, wie sah ich, als
5   ich Ihnen zuerst gefiel? – Wissen Sie es noch?
APPIANI. Ob ich es noch weiß? Ich sehe Sie in Gedanken
nie anders als so; und sehe Sie so, auch wenn ich Sie nicht
so sehe.
EMILIA. Also, ein Kleid von der nämlichen Farbe, von dem
10   nämlichen Schnitte; fliegend und frei –
APPIANI. Vortrefflich!
EMILIA. Und das Haar –
APPIANI. In seinem eignen braunen Glanze; in Locken, wie sie
die Natur schlug –
15 EMILIA. Die Rose darin nicht zu vergessen! Recht! recht! –
Eine kleine Geduld, und ich stehe so vor Ihnen da!

Achter Auftritt

Graf Appiani. Claudia Galotti.

APPIANI *(indem er ihr mit einer niedergeschlagenen Miene nachsieht).* Perlen bedeuten Tränen! – Eine kleine Geduld! – Ja, wenn die Zeit nur außer uns wäre![1] – Wenn ei-
20   ne Minute am Zeiger sich in uns nicht in Jahre ausdehnen
könnte! –
CLAUDIA. Emiliens Beobachtung, Herr Graf, war so schnell
als richtig. Sie sind heut ernster als gewöhnlich. Nur noch
einen Schritt von dem Ziele Ihrer Wünsche – sollt es Sie
25   reuen, Herr Graf, dass es das Ziel Ihrer Wünsche gewesen?
APPIANI. Ah, meine Mutter, und Sie können das von Ihrem
Sohne argwohnen?[2] – Aber, es ist wahr; ich bin heut un-
gewöhnlich trübe und finster. – Nur sehen Sie, gnädige
Frau: – noch *einen* Schritt vom Ziele oder noch gar nicht
30   ausgelaufen sein, ist im Grunde eines. – Alles, was ich sehe, alles, was ich höre, alles, was ich träume, prediget mir

---

[1]   Gemeint ist: wenn die Zeit unabhängig von unserem inneren Zeit-
gefühl wäre.
[2]   vermuten

seit gestern und ehegestern[1] diese Wahrheit. Dieser *eine*
Gedanke kettet sich an jeden andern, den ich haben muss
und haben will. – Was ist das? Ich versteh es nicht. –

CLAUDIA. Sie machen mich unruhig, Herr Graf –

5 APPIANI. Eines kömmt dann zum andern! – Ich bin ärgerlich, ärgerlich über meine Freunde, über mich selbst –

CLAUDIA. Wieso?

APPIANI. Meine Freunde verlangen schlechterdings, dass ich
dem Prinzen von meiner Heirat ein Wort sagen soll, ehe
10 ich sie vollziehe. Sie geben mir zu, ich sei es nicht schuldig; aber die Achtung gegen ihn woll' es nicht anders. –
Und ich bin schwach genug gewesen, es ihnen zu versprechen. Eben wollt' ich noch bei ihm vorfahren.

CLAUDIA *(stutzig)*. Bei dem Prinzen?

Neunter Auftritt

Pirro, gleich darauf Marinelli und die Vorigen.

15 PIRRO. Gnädige Frau, der Marchese Marinelli hält vor dem
Hause und erkundiget sich nach dem Herrn Grafen.

APPIANI. Nach mir?

PIRRO. Hier ist er schon. *(Öffnet ihm die Türe und gehet
ab.)*

20 MARINELLI. Ich bitt um Verzeihung, gnädige Frau. – Mein
Herr Graf, ich war vor Ihrem Hause und erfuhr, dass ich
Sie hier treffen würde. Ich hab ein dringendes Geschäft an
Sie – Gnädige Frau, ich bitte nochmals um Verzeihung; es
ist in einigen Minuten geschehen.

25 CLAUDIA. Die ich nicht verzögern will. *(Macht ihm eine
Verbeugung und geht ab.)*

Zehnter Auftritt

Marinelli. Appiani.

APPIANI. Nun, mein Herr?

MARINELLI. Ich komme von des Prinzen Durchlaucht.

---

[1] vorgestern

APPIANI. Was ist zu seinem Befehle?

MARINELLI. Ich bin stolz, der Überbringer einer so vorzüglichen Gnade zu sein. – Und wenn Graf Appiani nicht mit Gewalt einen seiner ergebensten Freunde in mir verkennen will –

APPIANI. Ohne weitere Vorrede, wenn ich bitten darf.

MARINELLI. Auch das! – Der Prinz muss sogleich an den Herzog von Massa, in Angelegenheit seiner Vermählung mit dessen Prinzessin Tochter, einen Bevollmächtigten senden. Er war lange unschlüssig, wen er dazu ernennen sollte. Endlich ist seine Wahl, Herr Graf, auf Sie gefallen.

APPIANI. Auf mich?

MARINELLI. Und das – wenn die Freundschaft ruhmredig[1] sein darf – nicht ohne mein Zutun –

APPIANI. Wahrlich, Sie setzen mich wegen eines Dankes in Verlegenheit. – Ich habe schon längst nicht mehr erwartet, dass der Prinz mich zu brauchen geruhen werde. –

MARINELLI. Ich bin versichert[2], dass es ihm bloß an einer würdigen Gelegenheit gemangelt hat. Und wenn auch diese so eines Mannes wie Graf Appiani noch nicht würdig genug sein sollte, so ist freilich meine Freundschaft zu voreilig gewesen.

APPIANI. Freundschaft und Freundschaft um das dritte Wort! – Mit wem red ich denn? Des Marchese Marinelli Freundschaft hätt ich mir nie träumen lassen. –

MARINELLI. Ich erkenne mein Unrecht, Herr Graf, mein unverzeihliches Unrecht, dass ich, ohne Ihre Erlaubnis, Ihr Freund sein wollen. – Bei dem allen: was tut das? Die Gnade des Prinzen, die Ihnen angetragene Ehre bleiben, was sie sind: und ich zweifle nicht, Sie werden sie mit Begierd' ergreifen.

APPIANI *(nach einiger Überlegung)*. Allerdings.

Marinelli. Nun so kommen Sie.

APPIANI. Wohin?

MARINELLI. Nach Dosalo, zu dem Prinzen. – Es liegt schon alles fertig; und Sie müssen noch heut abreisen.

APPIANI. Was sagen Sie? – Noch heute?

---

[1] angeberisch
[2] ich bin ganz sicher

MARINELLI. Lieber noch in dieser nämlichen Stunde als in der folgenden. Die Sache ist von der äußersten Eil.

APPIANI. In Wahrheit? – So tut es mir leid, dass ich die Ehre, welche mir der Prinz zugedacht, verbitten[1] muss.

5 MARINELLI. Wie?

APPIANI. Ich kann heute nicht abreisen – auch morgen nicht – auch übermorgen noch nicht. –

MARINELLI. Sie scherzen, Herr Graf.

APPIANI. Mit Ihnen?

10 MARINELLI. Unvergleichlich! Wenn der Scherz dem Prinzen gilt, so ist er umso viel lustiger. – Sie können nicht?

APPIANI. Nein, mein Herr, nein. – Und ich hoffe, dass der Prinz selbst meine Entschuldigung wird gelten lassen.

MARINELLI. Die bin ich begierig zu hören.

15 APPIANI. Oh, eine Kleinigkeit! – Sehen Sie; ich soll noch heut eine Frau nehmen.

MARINELLI. Nun? und dann?

APPIANI. Und dann? – und dann? – Ihre Frage ist auch verzweifelt naiv.

20 MARINELLI. Man hat Exempel, Herr Graf, dass sich Hochzeiten aufschieben lassen. – Ich glaube freilich nicht, dass der Braut oder dem Bräutigam immer damit gedient ist. Die Sache mag ihr Unangenehmes haben. Aber doch, dächt' ich, der Befehl des Herrn –

25 APPIANI. Der Befehl des Herrn? – des Herrn? Ein Herr, den man sich selber wählt, ist unser Herr so eigentlich nicht – Ich gebe zu, dass Sie dem Prinzen unbedingtern Gehorsam schuldig wären. Aber nicht ich. – Ich kam an seinen Hof als ein Freiwilliger. Ich wollte die Ehre haben, ihm zu
30 dienen, aber nicht sein Sklave werden. Ich bin der Vasall eines größern Herrn[2] –

MARINELLI. Größer oder kleiner: Herr ist Herr.

APPIANI. Dass ich mit Ihnen darüber stritte! – Genug, sagen Sie dem Prinzen, was Sie gehört haben – dass es mir leidtut, sei-
35 ne Gnade nicht annehmen zu können, weil ich eben heut eine Verbindung vollzöge, die mein ganzes Glück ausmache.

---

[1]   ablehnen
[2]   Ich bin Untergebener eines höhergestellten Herrn, als es der Prinz ist.

MARINELLI. Wollen Sie ihm nicht zugleich wissen lassen, mit wem?

APPIANI. Mit Emilia Galotti.

MARINELLI. Der Tochter aus diesem Hause?

5 APPIANI. Aus diesem Hause.

MARINELLI. Hm! Hm!

APPIANI. Was beliebt?

MARINELLI. Ich sollte meinen, dass es sonach umso weniger Schwierigkeit haben könne, die Zeremonie bis zu Ihrer
10 Zurückkunft auszusetzen.

APPIANI. Die Zeremonie? Nur die Zeremonie?

MARINELLI. Die guten Eltern werden es so genau nicht nehmen.

APPIANI. Die guten Eltern?

15 MARINELLI. Und Emilia bleibt Ihnen ja wohl gewiss.

APPIANI. Ja wohl gewiss? – Sie sind mit Ihrem ja wohl – ja wohl ein ganzer Affe![1]

MARINELLI. Mir das, Graf?

APPIANI. Warum nicht?

20 MARINIELLI. Himmel und Hölle! – Wir werden uns sprechen.

APPIANI. Pah! Hämisch ist der Affe; aber –

MARINELLI. Tod und Verdammnis! – Graf, ich fodere Genugtuung.[2]

25 APPIANI. Das versteht sich.

MARINELLI. Und würde sie gleich itzt nehmen – nur dass ich dem zärtlichen Bräutigam den heutigen Tag nicht verderben mag.

APPIANI. Gutherziges Ding! Nicht doch! Nicht doch! *(Indem*
30 *er ihn bei der Hand ergreift.)* Nach Massa freilich mag ich mich heute nicht schicken lassen, aber zu einem Spaziergange mit Ihnen hab ich Zeit übrig. – Kommen Sie, kommen Sie!

MARINELLI *(der sich losreißt und abgeht).* Nur Geduld,
35 Graf, nur Geduld!

---

[1] ein richtiger Affe!

[2] Gemeint ist: Ich fordere Sie zum Duell heraus.

Elfter Auftritt

Appiani. Claudia Galotti.

APPIANI. Geh, Nichtswürdiger! – Ha! das hat gut getan. Mein Blut ist in Wallung gekommen. Ich fühle mich anders und besser.

CLAUDIA *(eiligst und besorgt).* Gott! Herr Graf – Ich hab ei-
5 nen heftigen Wortwechsel gehört. – Ihr Gesicht glühet. Was ist vorgefallen?

APPIANI. Nichts, gnädige Frau, gar nichts. Der Kammerherr Marinelli hat mir einen großen Dienst erwiesen. Er hat mich des Ganges zum Prinzen überhoben.[1]

10 CLAUDIA. In der Tat?

APPIANI. Wir können nun umso viel früher abfahren. Ich gehe, meine Leute zu treiben, und bin sogleich wieder hier. Emilia wird indes auch fertig.

CLAUDIA. Kann ich ganz ruhig sein, Herr Graf?

15 APPIANI. Ganz ruhig, gnädige Frau. *(Sie geht herein und er fort.)*

---

[1] Er hat mir den Gang zum Prinzen abgenommen.

Dritter Aufzug

Die Szene: ein Vorsaal auf dem Lustschlosse des Prinzen.

Erster Auftritt

Der Prinz. Marinelli.

MARINELLI. Umsonst; er schlug die angetragene Ehre mit der größten Verachtung aus.

DER PRINZ. Und so bleibt es dabei? So geht es vor sich? so wird Emilia noch heute die Seinige?

5 MARINELLI. Allem Ansehen nach.

DER PRINZ. Ich versprach mir von Ihrem Einfalle so viel! – Wer weiß, wie albern Sie sich dabei genommen.[1] – Wenn der Rat eines Toren einmal gut ist, so muss ihn ein gescheiter Mann ausführen. Das hätt ich bedenken sollen.

10 MARINELLI. Da find ich mich schön belohnt!

DER PRINZ. Und wofür belohnt?

MARINELLI. Dass ich noch mein Leben darüber in die Schanze schlagen[2] wollte. – Als ich sahe, dass weder Ernst noch Spott den Grafen bewegen konnte, seine Liebe der 15 Ehre nachzusetzen, versucht ich es, ihn in Harnisch zu jagen[3]. Ich sagte ihm Dinge, über die er sich vergaß. Er stieß Beleidigungen gegen mich aus, und ich forderte Genugtuung – und forderte sie gleich auf der Stelle. – Ich dachte so: entweder er mich oder ich ihn. Ich ihn: so ist das Feld 20 ganz unser. Oder er mich: nun, wenn auch; so muss er fliehen, und der Prinz gewinnt wenigstens Zeit.

DER PRINZ. Das hätten Sie getan, Marinelli?

MARINELLI. Ha! man sollt es voraus wissen, wenn man so töricht bereit ist, sich für die Großen aufzuopfern – man 25 sollt es voraus wissen, wie erkenntlich sie sein würden –

DER PRINZ. Und der Graf? – Er stehet in dem Rufe, sich so etwas nicht zweimal sagen zu lassen.

MARINELLI. Nachdem es fällt, ohne Zweifel. – Wer kann es ihm verdenken? – Er versetzte, dass er auf heute doch

---

[1] benommen
[2] mein Leben aufs Spiel setzen
[3] in Zorn versetzen

noch etwas Wichtigers zu tun habe, als sich mit mir den Hals zu brechen. Und so beschied er mich auf die ersten acht Tage nach der Hochzeit.

DER PRINZ. Mit Emilia Galotti! Der Gedanke macht mich rasend! – Darauf ließen Sie es gut sein und gingen – und kommen und prahlen, dass Sie Ihr Leben für mich in die Schanze geschlagen, sich mir aufgeopfert –

MARINELLI. Was wollen Sie aber, gnädiger Herr, das ich weiter hätte tun sollen?

DER PRINZ. Weiter tun? – Als ob er etwas getan hätte!

MARINELLI. Und lassen Sie doch hören, gnädiger Herr, was Sie für sich selbst getan haben. – Sie waren so glücklich, sie noch in der Kirche zu sprechen. Was haben Sie mit ihr abgeredet?

DER PRINZ (höhnisch). Neugierde zur Genüge! – Die ich nur befriedigen muss. – Oh, es ging alles nach Wunsch. – Sie brauchen sich nicht weiter zu bemühen, mein allzu dienstfertiger Freund! – Sie kam meinem Verlangen mehr als halbes Weges entgegen. Ich hätte sie nur gleich mitnehmen dürfen. (Kalt und befehlend.) Nun wissen Sie, was Sie wissen wollen – und können gehn!

MARINELLI. Und können gehn! – Ja, ja, das ist das Ende vom Liede! und würd es sein, gesetzt auch, ich wollte noch das Unmögliche versuchen. – Das Unmögliche sag ich? – So unmöglich wär es nun wohl nicht; aber kühn! – Wenn wir die Braut in unserer Gewalt hätten, so stünd ich dafür, dass aus der Hochzeit nichts werden sollte.

DER PRINZ. Ei! wofür der Mann nicht alles stehen will! Nun dürft ich ihm nur noch ein Kommando von meiner Leibwache geben, und er legte sich an der Landstraße damit im Hinterhalt und fiele selbst funfziger[1] einen Wagen an, und riss' ein Mädchen heraus, das er im Triumphe mir zubrächte.

MARINELLI. Es ist eher ein Mädchen mit Gewalt entführt worden, ohne dass es einer gewaltsamen Entführung ähnlich gesehen.

DER PRINZ. Wenn Sie das zu machen wüssten, so würden Sie nicht erst lange davon schwatzen.

---

[1] zu fünfzig Mann

MARINELLI. Aber für den Ausgang müsste man nicht stehen
sollen. – Es könnten sich Unglücksfälle dabei ereignen –

DER PRINZ. Und es ist meine Art, dass ich Leute Dinge ver-
antworten lasse, wofür sie nicht können!

5 MARINELLI. Also, gnädiger Herr – *(Man hört von weitem
einen Schuss.)* Ha! was war das? – Hört ich recht – Hören
Sie nicht auch, gnädiger Herr, einen Schuss fallen? – Und
da noch einen!

DER PRINZ. Was ist das? was gibt's?

10 MARINELLI. Was meinen Sie wohl? – Wie, wann ich tätiger
wäre, als Sie glaubten?

DER PRINZ. Tätiger? – So sagen Sie doch –

MARINELLI. Kurz: wovon ich gesprochen, geschieht.

DER PRINZ. Ist es möglich?

15 MARINELLI. Nur vergessen Sie nicht, Prinz, wessen Sie
mich eben versichert. – Ich habe nochmals Ihr Wort –

DER PRINZ. Aber die Anstalten[1] sind doch so –

MARINELLI. Als sie nur immer sein können! – Die Ausführung ist Leuten anvertraut, auf die ich mich verlassen
20 kann. Der Weg geht hart an der Planke des Tiergartens[2]
vorbei. Da wird ein Teil den Wagen angefallen haben;
gleichsam, um ihn zu plündern. Und ein anderer Teil, wobei einer von meinen Bedienten ist, wird aus dem Tiergarten gestürzt sein; den Angefallenen gleichsam zur Hülfe.
25 Während des Handgemenges, in das beide Teile zum
Schein geraten, soll mein Bedienter Emilien ergreifen, als
ob er sie retten wolle, und durch den Tiergarten in das
Schloss bringen. – So ist die Abrede[3]. – Was sagen Sie
nun, Prinz?

30 DER PRINZ. Sie überraschen mich auf eine sonderbare Art.
– Und eine Bangigkeit überfällt mich – *(Marinelli geht an
das Fenster.)* Wonach sehen Sie?

MARINELLI. Dahinaus muss es sein! – Recht! – und eine
Maske[4] kömmt bereits um die Planke gesprengt[5] – ohne

---

[1] Vorbereitungen
[2] knapp am Zaun des Tiergeheges
[3] Verabredung
[4] ein Maskierter
[5] geritten

Zweifel, mir den Erfolg zu berichten. – Entfernen Sie sich, gnädiger Herr.

DER PRINZ. Ah, Marinelli –

MARINELLI. Nun, nicht wahr, nun hab ich zu viel getan, und vorhin zu wenig?

DER PRINZ. Das nicht. Aber ich sehe bei alledem nicht ab –

MARINELLI. Absehn? – Lieber alles mit eins! – Geschwind, entfernen Sie sich. – Die Maske muss Sie nicht sehen. *(Der Prinz gehet ab.)*

Zweiter Auftritt

Marinelli und bald darauf Angelo.

MARINELLI *(der wieder nach dem Fenster geht).* Dort fährt der Wagen langsam nach der Stadt zurück. – So langsam? Und in jedem Schlage ein Bedienter[1]? – Das sind Anzeichen, die mir nicht gefallen – dass der Streich wohl nur halb gelungen ist: – dass man einen Verwundeten gemächlich zurückführet – und keinen Toten. – Die Maske steigt ab. – Es ist Angelo selbst. Der Tolldreiste! – Endlich, hier weiß er die Schliche.[2] – Er winkt mir zu. Er muss seiner Sache gewiss sein. – Ha, Herr Graf, der Sie nicht nach Massa wollten, und nun noch einen weitern Weg müssen! – Wer hatte Sie die Affen[3] so kennen gelehrt? *(Indem er nach der Türe zugeht.)* Jawohl sind sie hämisch. – Nun, Angelo?

ANGELO *(der die Maske abgenommen).* Passen Sie auf, Herr Kammerherr! Man muss sie gleich bringen.

MARINELLI. Und wie lief es sonst ab?

ANGELO. Ich denke ja, recht gut.

MARINELLI. Wie steht es mit dem Grafen?

ANGELO. Zu dienen! So, so! – Aber er muss Wind gehabt haben. Denn er war nicht so ganz unbereitet.

MARINELLI. Geschwind sage mir, was du mir zu sagen hast! – Ist er tot?

---

[1] in jeder Wagentür ein Diener
[2] die Schleichwege
[3] Anspielung auf II, 10; siehe Anm. 1, S. 37

ANGELO. Es tut mir leid um den guten Herrn.

MARINELLI. Nun da, für dein mitleidiges Herz! *(Gibt ihm einen Beutel mit Gold.)*

ANGELO. Vollends mein braver Nicolo! der das Bad mit bezahlen[1] müssen.

MARINELLI. So? Verlust auf beiden Seiten?

ANGELO. Ich könnte weinen um den ehrlichen Jungen! Ob mir sein Tod schon[2] das *(indem er den Beutel in der Hand wieget)* um ein Viertel verbessert. Denn ich bin sein Erbe, weil ich ihn gerächet habe. Das ist so unser Gesetz; ein so gutes, mein ich, als für Treu' und Freundschaft je gemacht worden. Dieser Nicolo, Herr Kammerherr –

MARINELLI. Mit deinem Nicolo! – Aber der Graf, der Graf –

ANGELO. Blitz! der Graf hatte ihn gut gefasst. Dafür fasst' ich auch wieder den Grafen! – Er stürzte; und wenn er noch lebendig zurück in die Kutsche kam, so steh ich dafür, dass er nicht lebendig wieder herauskömmt.

MARINELLI. Wenn das nur gewiss ist, Angelo.

ANGELO. Ich will Ihre Kundschaft verlieren,[3] wenn es nicht gewiss ist! – Haben Sie noch was zu befehlen? Denn mein Weg ist der weiteste: wir wollen heute noch über die Grenze.

MARINELLI. So geh.

ANGELO. Wenn wieder was vorfällt, Herr Kammerherr – Sie wissen, wo ich zu erfragen bin. Was sich ein andrer zu tun getrauet, wird für mich auch keine Hexerei sein. Und billiger bin ich als jeder andere. *(Geht ab.)*

MARINELLI. Gut das! – Aber doch nicht so recht gut. – Pfui, Angelo! so ein Knicker[4] zu sein! Einen zweiten Schuss wäre er ja wohl noch wert gewesen. – Und wie er sich vielleicht nun martern muss, der arme Graf! – Pfui, Angelo! Das heißt sein Handwerk sehr grausam treiben – und verpfuschen. – Aber davon muss der Prinz noch nichts wissen. Er muss erst selbst finden, wie zuträglich ihm dieser Tod ist. – Dieser Tod! – Was gäb ich um die Gewissheit! –

---

[1] mit dem Leben bezahlen
[2] obgleich mir sein Tod
[3] ich will Sie als Auftraggeber verlieren
[4] Geizhals

Dritter Auftritt

Der Prinz. Marinelli.

DER PRINZ. Dort kömmt sie die Allee herauf. Sie eilet vor
dem Bedienten her. Die Furcht, wie es scheinet, beflügelt
ihre Füße. Sie muss noch nichts argwohnen. Sie glaubt
sich nur vor Räubern zu retten. – Aber wie lange kann das
5   dauern?

MARINELLI. So haben wir sie doch fürs Erste.

DER PRINZ. Und wird die Mutter sie nicht aufsuchen? Wird
der Graf ihr nicht nachkommen? Was sind wir alsdenn
weiter? Wie kann ich sie ihnen vorenthalten?

10 MARINELLI. Auf das alles weiß ich freilich noch nichts zu
antworten. Aber wir müssen sehen. Gedulden Sie sich,
gnädiger Herr. Der erste Schritt musste doch getan sein. –

DER PRINZ. Wozu? wenn wir ihn zurücktun müssen.

MARINELLI. Vielleicht müssen wir nicht. – Da sind tausend
15 Dinge, auf die sich weiter fußen lässt. – Und vergessen Sie
denn das Vornehmste?[1]

DER PRINZ. Wie kann ich vergessen, woran ich sicher noch
nicht gedacht habe? – Das Vornehmste? was ist das?

MARINELLI. Die Kunst zu gefallen, zu überreden – die ei-
20 nem Prinzen, welcher liebt, nie fehlet.

DER PRINZ. Nie fehlet? Außer, wo er sie gerade am nötigs-
ten brauchte. – Ich habe von dieser Kunst schon heut einen zu schlechten Versuch gemacht. Mit allen Schmeiche-
leien und Beteuerungen konnt' ich ihr auch nicht ein Wort
25 auspressen. Stumm und niedergeschlagen und zitternd
stand sie da; wie eine Verbrecherin, die ihr Todesurteil
höret. Ihre Angst steckte mich an, ich zitterte mit und
schloss mit einer Bitte um Vergebung. Kaum getrau ich
mir, sie wieder anzureden. – Bei ihrem Eintritte wenigstens
30 wag ich es nicht zu sein. Sie, Marinelli, müssen sie empfangen. Ich will hier in der Nähe hören, wie es abläuft; und
kommen, wenn ich mich mehr gesammelt habe.

---

[1] das Wichtigste

Vierter Auftritt

Marinelli, und bald darauf dessen Bedienter Battista
mit Emilien.

MARINELLI. Wenn sie ihn nicht selbst stürzen gesehen –
Und das muss sie wohl nicht; da sie so fortgeeilt – Sie
kömmt. Auch ich will nicht das Erste sein, was ihr hier in
die Augen fällt. *(Er zieht sich in einen Winkel des Saales*
5   *zurück.)*
BATTISTA. Nur hier herein, gnädiges Fräulein!
EMILIA *(außer Atem)*. Ah! – Ah! – Ich danke Ihm, mein
Freund – ich dank Ihm. – Aber Gott, Gott! wo bin ich? –
Und so ganz allein? Wo bleibt meine Mutter? Wo blieb
10   der Graf? – Sie kommen doch nach? mir auf dem Fuße
nach?
BATTISTA. Ich vermute.
EMILIA. Er vermutet? Er weiß es nicht? Er sah sie nicht?
– Ward nicht gar hinter uns geschossen?
15 BATTISTA. Geschossen? – Das wäre! –
EMILIA. Ganz gewiss! Und das hat den Grafen oder meine
Mutter getroffen. –
BATTISTA. Ich will gleich nach ihnen ausgehen.
EMILIA. Nicht ohne mich. – Ich will mit; ich muss mit:
20   komm' Er, mein Freund!
MARINELLI *(der plötzlich herzutritt, als ob er eben herein-*
käme). Ah, gnädiges Fräulein! Was für ein Unglück, oder
vielmehr, was für ein Glück – was für ein glückliches Unglück verschafft uns die Ehre –
25 EMILIA *(stutzend)*. Wie? Sie hier, mein Herr? – Ich bin also
wohl bei Ihnen? – Verzeihen Sie, Herr Kammerherr. Wir
sind von Räubern ohnfern[1] überfallen worden. Da kamen
uns gute Leute zu Hilfe – und dieser ehrliche Mann hob
mich aus dem Wagen und brachte mich hierher. – Aber
30   ich erschrecke, mich allein gerettet zu sehen. Meine Mutter
ist noch in der Gefahr. Hinter uns ward sogar geschossen. Sie ist vielleicht tot – und ich lebe? – Verzeihen Sie.
Ich muss fort; ich muss wieder hin – wo ich gleich hätte
bleiben sollen.

---

[1]   in der Nähe

MARINELLI. Beruhigen Sie sich, gnädiges Fräulein. Es stehet alles gut; sie werden bald bei Ihnen sein, die geliebten
Personen, für die Sie so viel zärtliche Angst empfinden. –
Indes, Battista, geh, lauf: sie dürften vielleicht nicht wissen,
5   wo das Fräulein ist. Sie dürften sie vielleicht in einem von
den Wirtschaftshäusern des Gartens suchen. Bringe sie un-
verzüglich hierher. *(Battista geht ab.)*

EMILIA. Gewiss? Sind sie alle geborgen? Ist ihnen nichts widerfahren? – Ah, was ist dieser Tag für ein Tag des
10   Schreckens für mich! – Aber ich sollte nicht hierbleiben –
ich sollte ihnen entgegeneilen –

MARINELLI. Wozu das, gnädiges Fräulein? Sie sind ohnedem
schon ohne Atem und Kräfte. Erholen Sie sich vielmehr
und geruhen in ein Zimmer zu treten, wo mehr Bequem-
15   lichkeit ist. – Ich will wetten, dass der Prinz schon selbst um
Ihre teure, ehrwürdige Mutter ist und sie Ihnen zuführet.

EMILIA. Wer, sagen Sie?

MARINELLI. Unser gnädigster Prinz selbst.

EMILIA *(äußerst bestürzt)*. Der Prinz?

20   MARINELLI. Er floh auf die erste Nachricht Ihnen zu Hülfe. –
Er ist höchst ergrimmt, dass ein solches Verbrechen ihm
so nahe, unter seinen Augen gleichsam, hat dürfen gewagt
werden. Er lässt den Tätern nachsetzen, und ihre Strafe,
wenn sie ergriffen werden, wird unerhört sein.

25   EMILIA. Der Prinz! – Wo bin ich denn also?

MARINELLI. Auf Dosalo, dem Lustschlosse des Prinzen.

EMILIA. Welch ein Zufall! – Und Sie glauben, dass er gleich
selbst erscheinen könne? – Aber doch in Gesellschaft meiner Mutter?

30   MARINELLI. Hier ist er schon.

Fünfter Auftritt

Der Prinz. Emilia. Marinelli.

DER PRINZ. Wo ist sie? wo? – Wir suchen Sie überall,
schönstes Fräulein. – Sie sind doch wohl? – Nun, so ist alles wohl! Der Graf, Ihre Mutter –

EMILIA. Ah, gnädigster Herr! Wo sind sie? Wo ist meine
35   Mutter?

DER PRINZ. Nicht weit; hier ganz in der Nähe.

EMILIA. Gott, in welchem Zustande werde ich die eine oder den andern vielleicht treffen! Ganz gewiss treffen! – denn Sie verhelen mir, gnädiger Herr – ich seh es, Sie verhelen mir –

DER PRINZ. Nicht doch, bestes Fräulein. – Geben Sie mir Ihren Arm und folgen Sie mir getrost.

EMILIA *(unentschlossen)*. Aber – wenn ihnen nichts widerfahren – wenn meine Ahnungen mich trügen: – warum sind sie nicht schon hier? Warum kamen sie nicht mit Ihnen, gnädiger Herr?

DER PRINZ. So eilen Sie doch, mein Fräulein, alle diese Schreckensbilder mit eins verschwinden zu sehen. –

EMILIA. Was soll ich tun? *(Die Hände ringend.)*

DER PRINZ. Wie, mein Fräulein? Sollten Sie einen Verdacht gegen mich hegen? –

EMILIA *(die vor ihm niederfällt)*. Zu Ihren Füßen, gnädiger Herr –

DER PRINZ *(sie aufhebend)*. Ich bin äußerst beschämt. – Ja, Emilia ich verdiene diesen stummen Vorwurf. – Mein Betragen diesen Morgen ist nicht zu rechtfertigen: – zu entschuldigen höchstens. Verzeihen Sie meiner Schwachheit. – Ich hätte Sie mit keinem Geständnisse beunruhigen sollen, von dem ich keinen Vorteil zu erwarten habe. Auch ward ich durch die sprachlose Bestürzung, mit der Sie es anhörten, oder vielmehr nicht anhörten, genugsam bestraft. – Und könnt ich schon diesen Zufall[1], der mir nochmals, ehe alle meine Hoffnung auf ewig verschwindet – mir nochmals das Glück, Sie zu sehen und zu sprechen, verschafft; könnt ich schon diesen Zufall für den Wink eines günstigen Glücks erklären – für den wunderbaren Aufschub meiner endlichen[2] Verurteilung erklären, um nochmals um Gnade flehen zu dürfen: so will ich doch – beben Sie nicht, mein Fräulein – einzig und allein von Ihrem Blicke abhangen. Kein Wort, kein Seufzer soll Sie beleidigen. – Nur kränke mich nicht Ihr Misstrauen. Nur zweifeln Sie keinen Augenblick an der unumschränktesten

---

[1] hier: Ereignis
[2] endgültigen

Gewalt, die Sie über mich haben. Nur falle Ihnen nie bei, dass Sie eines andern Schutzes gegen mich bedürfen. – Und nun kommen Sie, mein Fräulein – kommen Sie, wo Entzückungen auf Sie warten, die Sie mehr billigen. *(Er*
5 *führt sie, nicht ohne Sträuben, ab.)* Folgen Sie uns, Marinelli. –

MARINELLI. Folgen Sie uns – das mag heißen: folgen Sie uns nicht! – Was hätte ich ihnen auch zu folgen? Er mag sehen, wie weit er es unter vier Augen mit ihr bringt. – Al-
10 les, was ich zu tun habe, ist – zu verhindern, dass sie nicht gestöret werden. Von dem Grafen zwar hoffe ich nun wohl nicht. Aber von der Mutter; von der Mutter! Es sollte mich sehr wundern, wenn die so ruhig abgezogen wäre und ihre Tochter im Stich gelassen hätt. – Nun, Battista? was gibt's?

Sechster Auftritt

Battista. Marinelli.

15 BATTISTA *(eiligst)*. Die Mutter, Herr Kammerherr –
MARINELLI. Dacht ich's doch! – Wo ist sie?
BATTISTA. Wann Sie ihr nicht zuvorkommen, so wird sie den Augenblick hier sein. – Ich war gar nicht willens, wie Sie mir zum Schein geboten, mich nach ihr umzusehen: als ich
20 ihr Geschrei von weitem hörte. Sie ist der Tochter auf der Spur, und wo nur nicht – unserm ganzen Anschlage! Alles, was in dieser einsamen Gegend von Menschen ist, hat sich um sie versammelt; und jeder will der sein, der ihr den Weg weiset. Ob man ihr schon gesagt, dass der Prinz hier ist,
25 dass Sie hier sind, weiß ich nicht. – Was wollen Sie tun?
MARINELLI. Lass sehen! – *(Er überlegt.)* Sie nicht einlassen, wenn sie weiß, dass die Tochter hier ist? – Das geht nicht. – Freilich, sie wird Augen machen, wenn Sie den Wolf bei dem Schäfchen sieht. – Augen? Das möchte noch sein.
30 Aber der Himmel sei unsern Ohren gnädig! – Nun was? die beste Lunge erschöpft sich, auch sogar eine weibliche. Sie hören alle auf zu schreien, wenn sie nicht mehr können. – Dazu, es ist doch einmal die Mutter, die wir auf unserer Seite haben müssen. – Wenn ich die Mütter recht
35 kenne – so etwas von einer Schwiegermutter eines Prinzen

zu sein, schmeichelt die meisten. – Lass sie kommen, Battista, lass sie kommen!

BATTISTA. Hören Sie! hören Sie!

CLAUDIA Galotti *(innerhalb)*. Emilia! Emilia! Mein Kind, wo bist du?

MARINELLI. Geh, Battista, und suche nur ihre neugierigen Begleiter zu entfernen.

Siebenter Auftritt

Claudia Galotti. Battista. Marinelli.

CLAUDIA *(die in die Tür tritt, indem Battista herausgehen will)*. Ha! der hob sie aus dem Wagen! Der führte sie fort! Ich erkenne dich. Wo ist sie? Sprich Unglücklicher!

BATTISTA. Das ist mein Dank?

CLAUDIA. Oh, wenn du Dank verdienest *(in einem gelinden Tone)* – so verzeihe mir, ehrlicher Mann! – Wo ist sie? – Lasst mich sie nicht länger entbehren. Wo ist sie?

BATTISTA. Oh, Ihre Gnaden, sie könnte in dem Schoße der Seligkeit nicht aufgehobener sein. – Hier, mein Herr wird Ihre Gnaden zu ihr führen. *(Gegen einige Leute, die nachdringen wollen.)* Zurück da! ihr!

Achter Auftritt

Claudia Galotti. Marinelli.

CLAUDIA. Dein Herr? – *(Erblickt den Marinelli und fährt zurück.)* Ha! – Das dein Herr? – Sie hier, mein Herr? Und hier meine Tochter? Und Sie, Sie sollen mich zu ihr zu führen?

MARINELLI. Mit vielem Vergnügen, gnädige Frau.

CLAUDIA. Halten Sie! – Eben fällt mir es bei – Sie waren es ja – nicht? – der den Grafen diesen Morgen in meinem Hause aufsuchte? mit dem ich ihn allein ließ? mit dem er Streit bekam?

MARINELLI. Streit? – Was ich nicht wüsste: ein unbedeutender Wortwechsel in herrschaftlichen Angelegenheiten[1] –

---

[1] in Angelegenheiten des Adels

CLAUDIA. Und Marinelli heißen Sie?

MARINELLI. Marchese Marinelli.

CLAUDIA. So ist es richtig. – Hören Sie doch, Herr Marchese. – Marinelli war – der Name Marinelli war – begleitet
5   mit einer Verwünschung – Nein, dass ich den edeln Mann
nicht verleumde! – begleitet mit keiner Verwünschung –
Die Verwünschung denk ich hinzu – Der Name Marinelli
war das letzte Wort des sterbenden Grafen.

MARINELLI. Des sterbenden Grafen? Grafen Appiani? – Sie
10   hören, gnädige Frau, was mir in Ihrer seltsamen Rede am
meisten auffällt. – Des sterbenden Grafen? – Was Sie sonst
sagen wollen, versteh ich nicht.

CLAUDIA *(bitter und langsam)*. Der Name Marinelli war das
letzte Wort des sterbenden Grafen! – Verstehen Sie nun? –
15   Ich verstand es erst auch nicht, obschon mit einem Tone
gesprochen – mit einem Tone! – Ich höre ihn noch! Wo
waren meine Sinne, dass sie diesen Ton nicht sogleich verstanden?

MARINELLI. Nun, gnädige Frau? – Ich war von jeher des
20   Grafen Freund; sein vertrautester Freund. Also, wenn er
mich noch im Sterben nannte –

CLAUDIA. Mit dem Tone? – Ich kann ihn nicht nachmachen;
ich kann ihn nicht beschreiben: aber er enthielt alles! alles!
– Was? Räuber wären es gewesen, die uns anfielen? –
25   Mörder waren es; erkaufte Mörder! – Und Marinelli, Marinelli war das letzte Wort des sterbenden Grafen! Mit einem
Tone!

MARINELLI. Mit einem Tone? – Ist es erhört, auf einen Ton,
in einem Augenblicke des Schreckens vernommen, die
30   Anklage eines rechtschaffnen Mannes zu gründen?

CLAUDIA. Ha, könnt ich ihn nur vor Gerichte stellen, diesen
Ton! – Doch, weh mir! Ich vergesse darüber meine Toch-
ter. – Wo ist sie? – Wie? auch tot? – Was konnte meine
Tochter dafür, dass Appiani dein Feind war?

35 MARINELLI. Ich verzeihe der bangen Mutter. – Kommen
Sie, gnädige Frau – Ihre Tochter ist hier; in einem von den
nächsten Zimmern, und hat sich hoffentlich von ihrem
Schrecken schon völlig erholt. Mit der zärtlichsten Sorgfalt
ist der Prinz selbst um sie beschäftiget –

40 CLAUDIA. Wer? – Wer selbst?

MARINELLI. Der Prinz.

CLAUDIA. Der Prinz? – Sagen Sie wirklich der Prinz? – Unser Prinz?

MARINELLI. Welcher sonst?

5 CLAUDIA. Nun dann! – Ich unglückselige Mutter! – Und ihr Vater! ihr Vater! – Er wird den Tag ihrer Geburt verfluchen. Er wird mich verfluchen.

MARINELLI. Um des Himmels willen, gnädige Frau! Was fällt Ihnen nun ein?

10 CLAUDIA. Es ist klar! – Ist es nicht? – Heute im Tempel! vor den Augen der Allerreinesten![1] in der nähern Gegenwart des Ewigen! – begann das Bubenstück[2], da brach es aus! *(Gegen den Marinelli.)* Ha, Mörder! feiger, elender Mörder! Nicht tapfer genug, mit eigner Hand zu morden, aber

15 nichtswürdig genug, zu Befriedigung eines fremden Kitzels[3] zu morden! – morden zu lassen! – Abschaum aller Mörder! – Was ehrliche Mörder sind, werden dich unter sich nicht dulden! Dich! Dich! – denn warum soll ich dir nicht alle meine Galle[4], allen meinen Geifer[4] mit einem einzigen

20 Worte ins Gesicht speien? – Dich! Dich Kuppler!

MARINELLI. Sie schwärmen[5], gute Frau. – Aber mäßigen Sie wenigstens Ihr wildes Geschrei, und bedenken Sie, wo Sie sind.

CLAUDIA. Wo ich bin? Bedenken, wo ich bin? – Was kümmert

25 es die Löwin, der man die Jungen geraubt, in wessen Walde sie brüllet?

EMILIA *(innerhalb).* Ha, meine Mutter! Ich höre meine Mutter!

CLAUDIA. Ihre Stimme? Das ist sie! Sie hat mich gehört, sie hat

30 mich gehört. Und ich sollte nicht schreien? – Wo bist du, mein Kind? Ich komme, ich komme! *(Sie stürzt in das Zimmer und Marinelli ihr nach.)*

---

[1] der Maria, Mutter Gottes
[2] der gemeine Anschlag
[3] sinnliche Lust
[4] hier: Wut, Zorn
[5] Sie reden wie eine Verrückte.

Vierter Aufzug

Die Szene bleibt.

Erster Auftritt

Der Prinz. Marinelli.

DER PRINZ *(als aus dem Zimmer von Emilien kommend).* Kommen Sie, Marinelli! Ich muss mich erholen – und muss Licht[1] von Ihnen haben.

MARINELLI. O der mütterlichen Wut! Ha! ha! ha!

5 DER PRINZ. Sie lachen?

MARINELLI. Wenn Sie gesehen hätten, Prinz, wie toll sich hier, hier im Saale, die Mutter gebärdete – Sie hörten sie ja wohl schreien! – und wie zahm sie auf einmal ward, bei dem ersten Anblicke von Ihnen – Ha! ha! – Das weiß ich ja
10 wohl, dass keine Mutter einem Prinzen die Augen auskratzt, weil er ihre Tochter schön findet.

DER PRINZ. Sie sind ein schlechter Beobachter! – Die Tochter stürzte der Mutter ohnmächtig in die Arme. Darüber vergaß die Mutter ihre Wut, nicht über mir. Ihre Tochter
15 schonte sie, nicht mich, wenn sie es nicht lauter, nicht deutlicher sagte – was ich lieber selbst nicht gehört, nicht verstanden haben will.

MARINELLI. Was, gnädiger Herr?

DER PRINZ. Wozu die Verstellung? – Heraus damit. Ist es
20 wahr? oder ist es nicht wahr?

MARINELLI. Und wenn es denn wäre?

DER PRINZ. Wenn es denn wäre? – Also ist es? – Er ist tot? tot? – *(Drohend.)* Marinelli! Marinelli!

MARINELLI. Nun?

25 DER PRINZ. Bei Gott! bei dem allgerechten Gott! ich bin unschuldig an diesem Blute. – Wenn Sie mir vorher gesagt hätten, dass es dem Grafen das Leben kosten werde – Nein, nein! und wenn es mir selbst das Leben gekostet hätte! –

30 MARINELLI. Wenn ich Ihnen vorher gesagt hätte? – Als ob sein Tod in meinem Plane gewesen wäre! Ich hatte es dem

---

[1] Aufklärung, Erklärung

Angelo auf die Seele gebunden, zu verhüten, dass nieman-
den Leides geschähe. Es würde auch ohne die geringste
Gewalttätigkeit abgelaufen sein, wenn sich der Graf nicht
die erste erlaubt hätte. Er schoss Knall auf Fall den einen
5 nieder.

DER PRINZ. Wahrlich, er hätte sollen Spaß verstehen!

MARINELLI. Dass Angelo sodann in Wut kam und den Tod
seines Gefährten rächte –

DER PRINZ. Freilich, das ist sehr natürlich!

10 MARINELLI. Ich hab es ihm genug verwiesen.[1]

DER PRINZ. Verwiesen? Wie freundschaftlich! – Warnen Sie
ihn, dass er sich in meinem Gebiete nicht betreten[2] lässt.
Mein Verweis möchte so freundschaftlich nicht sein.

MARINELLI. Recht wohl! – Ich und Angelo, Vorsatz und Zu-
15 fall: alles ist eins. – Zwar ward es voraus bedungen[3], zwar
ward es voraus versprochen, dass keiner der Unglücksfälle,
die sich dabei ereignen könnten, mir zuschulden kommen
solle –

DER PRINZ. Die sich dabei ereignen – könnten, sagen Sie?
20 oder sollten?

MARINELLI. Immer besser! – Doch, gnädiger Herr – ehe Sie
mir es mit dem trocknen Worte sagen, wofür Sie mich halten – eine einzige Vorstellung! Der Tod des Grafen ist mir
nichts weniger als gleichgültig. Ich hatte ihn ausgefodert;
25 er war mir Genugtuung schuldig, er ist ohne diese aus der
Welt gegangen, und meine Ehre bleibt beleidigt. Gesetzt,
ich verdiente unter jeden andern Umständen den Verdacht, den Sie gegen mich hegen, aber auch unter diesen?
– *(Mit einer angenommenen Hitze[4].)* Wer das von mir
30 denken kann! –

DER PRINZ *(nachgebend)*. Nun gut, nun gut –

MARINELLI. Dass er noch lebte! O dass er noch lebte! Alles,
alles in der Welt wollte ich darum geben – *(bitter)* selbst
die Gnade meines Prinzen – diese unschätzbare, nie zu
35 verscherzende Gnade – wollt' ich drum geben.

---

[1] tadeln
[2] erwischen
[3] verabredet
[4] mit einer vorgetäuschten Erregung

DER PRINZ. Ich verstehe. – Nun gut, nun gut. Sein Tod war Zufall, bloßer Zufall. Sie versichern es; und ich, ich glaub es. – Aber wer mehr? Die Mutter? Auch Emilia? – Auch die Welt?

5 MARINELLI *(kalt)*. Schwerlich.

DER PRINZ. Und wenn man es nicht glaubt, was wird man denn glauben? – Sie zucken die Achsel? – Ihren Angelo wird man für das Werkzeug und mich für den Täter halten –

MARINELLI *(noch kälter)*. Wahrscheinlich genug.

10 DER PRINZ. Mich! mich selbst! – Oder ich muss von Stund an alle Absicht auf Emilien aufgeben –

MARINELLI *(höchst gleichgültig)*. Was Sie auch gemusst hätten – wenn der Graf noch lebte. –

DER PRINZ *(heftig, aber sich gleich wieder fassend)*. Mari-
15 nelli! – Doch Sie sollen mich nicht wild machen. – Es sei so – Es ist so! Und das wollen Sie doch nur sagen: der Tod des Grafen ist für mich ein Glück – das größte Glück, was mir begegnen konnte – das einzige Glück, was meiner Liebe zustatten kommen konnte. Und als dieses – mag er
20 doch geschehen sein, wie er will! – Ein Graf mehr in der Welt oder weniger! Denke ich Ihnen so recht? – Topp! auch ich erschrecke vor einem kleinen Verbrechen nicht. Nur, guter Freund, muss es ein kleines stilles Verbrechen, ein kleines, heilsames Verbrechen sein. Und sehen Sie, un-
25 seres da, wäre nun gerade weder stille noch heilsam. Es hätte den Weg zwar gereiniget, aber zugleich gesperrt. Jedermann würde es uns auf den Kopf zusagen – und leider hätten wir es gar nicht einmal begangen! – Das liegt doch wohl nur bloß an Ihren weisen, wunderbaren Anstalten?

30 MARINELLI. Wenn Sie so befehlen –

DER PRINZ. Woran sonst? – Ich will Rede![1]

MARINELLI. Es kömmt mehr auf meine Rechnung, was nicht darauf gehört.

DER PRINZ. Rede will ich!

35 MARINELLI. Nun dann! Was läge an meinen Anstalten? dass den Prinzen bei diesem Unfalle ein so sichtbarer Verdacht trifft? – An dem Meisterstreiche liegt das, den er selbst meinen Anstalten mit einzumengen die Gnade hatte.

---

[1] Ich will Auskunft!

DER PRINZ. Ich?

MARINELLI. Er erlaube mir, ihm zu sagen, dass der Schritt,
den er heute morgen in der Kirche getan – mit so vielem
Anstande er ihn auch getan – so unvermeidlich er ihn
5   auch tun musste –, dass dieser Schritt dennoch nicht in
den Tanz gehörte.

DER PRINZ. Was verdarb er denn auch?

MARINELLI. Freilich nicht den ganzen Tanz, aber doch vor-
itzo[1] den Takt.

10 DER PRINZ. Hm! Versteh ich Sie?

MARINELLI. Also, kurz und einfältig[2]. Da ich die Sache
übernahm, nicht wahr, da wusste Emilia von der Liebe des
Prinzen noch nichts? Emiliens Mutter noch weniger. Wenn
ich nun auf diesen Umstand baute? und der Prinz indes
15   den Grund meines Gebäudes untergrub? –

DER PRINZ *(sich vor die Stirne schlagend)*. Verwünscht!

MARINELLI. Wenn er es nun selbst verriet, was er im Schil-
de führe?

DER PRINZ. Verdammter Einfall!

20 MARINELLI. Und wenn er es nicht selbst verraten hätte? –
Traun![3] Ich möchte doch wissen, aus welcher meiner Anstalten Mutter oder Tochter den geringsten Argwohn gegen ihn schöpfen könnte?

DER PRINZ. Dass Sie Recht haben!

25 MARINELLI. Daran tu ich freilich sehr Unrecht – Sie werden
verzeihen, gnädiger Herr –

Zweiter Auftritt

Battista. Der Prinz. Marinelli.

BATTISTA *(eiligst)*. Eben kommt die Gräfin an.

DER PRINZ. Welche Gräfin? Was für eine Gräfin?

BATTISTA. Orsina.

30 DER PRINZ. Orsina? – Marinelli! – Orsina? – Marinelli!

MARINELLI. Ich erstaune darüber nicht weniger als Sie selbst.

---

[1] vorerst
[2] einfach
[3] Wahrhaftig!

DER PRINZ. Geh, lauf, Battista: Sie soll nicht aussteigen. Ich
bin nicht hier. Ich bin für sie nicht hier. Sie soll augenblicklich wieder umkehren. Geh, lauf! – *(Battista geht ab.)* Was
will die Närrin? Was untersteht sie sich? Wie weiß sie, dass
5   wir hier sind? Sollte sie wohl auf Kundschaft[1] kommen?
Sollte sie wohl schon etwas vernommen haben? – Ah, Marinelli! So reden Sie, so antworten Sie doch! – Ist er beleidiget, der Mann, der mein Freund sein will? Und durch einen elenden Wortwechsel beleidiget? Soll ich ihn um
10   Verzeihung bitten?
MARINELLI. Ah, mein Prinz, sobald Sie wieder Sie sind, bin
ich mit ganzer Seele wieder der Ihrige! – Die Ankunft der
Orsina ist mir ein Rätsel wie Ihnen. Doch abweisen wird
sie schwerlich sich lassen. Was wollen Sie tun?
15   DER PRINZ. Sie durchaus nicht sprechen, mich entfernen –
MARINELLI. Wohl! und nur geschwind. Ich will sie empfangen –
DER PRINZ. Aber bloß, um sie gehen zu heißen. – Weiter
geben Sie mit ihr sich nicht ab. Wir haben andere Dinge
20   hier zu tun –
MARINELLI. Nicht doch, Prinz! Diese andern Dinge sind getan. Fassen Sie doch Mut! Was noch fehlt, kömmt sicherlich
von selbst. – Aber hör ich sie nicht schon? – Eilen Sie,
Prinz! – Da *(auf ein Kabinett zeigend, in welches sich*
25   *der Prinz begibt),* wenn Sie wollen, werden Sie uns hören
können. – Ich fürchte, ich fürchte, sie ist nicht zu ihrer
besten Stunde ausgefahren.

Dritter Auftritt

Die Gräfin Orsina. Marinelli.

ORSINA *(ohne den Marinelli anfangs zu erblicken).* Was ist
das? – Niemand kömmt mir entgegen, außer ein Unver-
30   schämter, der mir lieber gar den Eintritt verweigert hätte?
– Ich bin doch zu Dosalo? Zu dem Dosalo, wo mir sonst
ein ganzes Heer geschäftiger Augendiener[2] entgegen-

---

[1]   um zu spionieren
[2]   Schmeichler

stürzte? wo mich sonst Liebe und Entzücken erwarteten? –
Der Ort ist es, aber, aber! – Sieh da, Marinelli! – Recht
gut, dass der Prinz Sie mitgenommen. – Nein, nicht gut!
Was ich mit ihm auszumachen hätte, hätte ich nur mit ihm
5 auszumachen. – Wo ist er?
MARINELLI. Der Prinz, meine gnädige Gräfin?
ORSINA. Wer sonst?
MARINELLI. Sie vermuten ihn also hier? wissen ihn hier? –
Er wenigstens ist der Gräfin Orsina hier nicht vermutend.
10 ORSINA. Nicht? So hat er meinen Brief heute Morgen nicht erhalten?
MARINELLI. Ihren Brief? Doch ja, ich erinnere mich, dass er
eines Briefes von Ihnen erwähnte.
ORSINA. Nun? habe ich ihn nicht in diesem Briefe auf heute
15 um eine Zusammenkunft hier auf Dosalo gebeten? – Es ist
wahr, es hat ihm nicht beliebt, mir schriftlich zu antworten. Aber ich erfuhr, dass er eine Stunde darauf wirklich
nach Dosalo abgefahren. Ich glaubte, das sei Antworts genug, und ich komme.
20 MARINELLI. Ein sonderbarer Zufall!
ORSINA. Zufall? – Sie hören ja, dass es verabredet worden. So
gut als verabredet. Von meiner Seite der Brief, von seiner die
Tat. – Wie er da steht, der Herr Marchese! Was er für Augen
macht! Wundert sich das Gehirnchen? und worüber denn?
25 MARINELLI. Sie schienen gestern so weit entfernt, dem
Prinzen jemals wieder vor die Augen zu kommen.
ORSINA. Bessrer Rat kömmt über Nacht. – Wo ist er? wo ist
er? – Was gilt's, er ist in dem Zimmer, wo ich das Gequie-
ke, das Gekreische hörte? – Ich wollte herein, und der
30 Schurke von Bedienten trat vor.
MARINELLI. Meine liebste, beste Gräfin –
ORSINA. Es war ein weibliches Gekreische. Was gilt's, Marinelli? – O sagen Sie mir doch, sagen Sie mir – wenn ich
anders Ihre liebste, beste Gräfin bin – Verdammt, über das
35 Hofgeschmeiß![1] So viel Worte, so viel Lügen! Nun, was
liegt daran, ob Sie mir es voraussagen oder nicht? Ich
werd es ja wohl sehen. *(Will gehen.)*

---

[1] Geschmeiß=Auswurf; abfälliger Ausdruck für die höfische Gesellschaft

MARINELLI *(der sie zurückhält)*. Wohin?

ORSINA. Wo ich längst sein sollte. – Denken Sie, dass es
schicklich ist, mit Ihnen hier in dem Vorgemache einen
elenden Schnickschnack zu halten, indes der Prinz in dem
5   Gemache auf mich wartet?

MARINELLI. Sie irren sich, gnädige Gräfin. Der Prinz erwartet Sie nicht. Der Prinz kann Sie hier nicht sprechen – will
Sie nicht sprechen.

ORSINA. Und wäre doch hier? und wäre doch auf meinen
10   Brief hier?

MARINELLI. Nicht auf Ihren Brief –

ORSINA. Den er ja erhalten, sagen Sie –

MARINELLI. Erhalten, aber nicht gelesen.

ORSINA *(heftig)*. Nicht gelesen? – *(Minder heftig.)* Nicht ge-
15   lesen? – *(Wehmütig und eine Träne aus dem Auge wi-
schend.)* Nicht einmal gelesen?

MARINELLI. Aus Zerstreuung, weiß ich. – Nicht aus Verachtung.

ORSINA *(stolz)*. Verachtung? – Wer denkt daran? – Wem brau-
20   chen Sie das zu sagen? – Sie sind ein unverschämter Tröster,
Marinelli! – Verachtung! Verachtung! Mich verachtet man
auch! mich! – *(Gelinder, bis zum Tone der Schwermut.)*
Freilich liebt er mich nicht mehr. Das ist ausgemacht. Und
an die Stelle der Liebe trat in seiner Seele etwas anders. Das
25   ist natürlich. Aber warum denn Verachtung? Es braucht ja
nur Gleichgültigkeit zu sein. Nicht wahr, Marinelli?

MARINELLI. Allerdings, allerdings.

ORSINA *(höhnisch)*. Allerdings? – O des weisen Mannes,
den man sagen lassen kann, was man will! – Gleichgültig-
30   keit! Gleichgültigkeit an die Stelle der Liebe? – Das heißt,
nichts an die Stelle von etwas. Denn lernen Sie, nachplau-
derndes Hofmännchen, lernen Sie von einem Weibe, dass
Gleichgültigkeit ein leeres Wort, ein bloßer Schwall ist,
dem nichts, gar nichts entspricht. Gleichgültig ist die Seele
35   nur gegen das, woran sie nicht denkt; nur gegen ein Ding,
das für sie kein Ding ist. Und nur gleichgültig für ein Ding,
das kein Ding ist – das ist so viel als gar nicht gleichgültig.
– Ist dir das zu hoch, Mensch?

MARINELLI *(vor sich)*. O weh! wie wahr ist es, was ich
40   fürchtete!

ORSINA. Was murmeln Sie da?

MARINELLI. Lauter Bewunderung! – Und wem ist es nicht bekannt, gnädige Gräfin, dass Sie eine Philosophin sind?

ORSINA. Nicht wahr? – Ja, ja, ich bin eine. – Aber habe ich mir es itzt merken lassen, dass ich eine bin? – O pfui, wenn ich mir es habe merken lassen, und wenn ich mir es öfter habe merken lassen! Ist es wohl noch Wunder, dass mich der Prinz verachtet? Wie kann ein Mann ein Ding lieben, das, ihm zum Trotze, auch denken will? Ein Frauenzimmer, das denkt, ist ebenso ekel als ein Mann, der sich schminket. Lachen soll es, nichts als lachen, um immerdar den gestrengen Herrn der Schöpfung bei guter Laune zu erhalten. – Nun, worüber lach ich denn gleich, Marinelli? – Ach, jawohl! Über den Zufall! dass ich dem Prinzen schreibe, er soll nach Dosalo kommen; dass der Prinz meinen Brief nicht lieset und dass er doch nach Dosalo kömmt. Ha! ha! ha! Wahrlich ein sonderbarer Zufall! Sehr lustig, sehr närrisch! – Und Sie lachen nicht mit, Marinelli? – Mitlachen kann ja wohl der gestrenge Herr der Schöpfung, ob wir arme Geschöpfe gleich nicht mitdenken dürfen. – *(Ernsthaft und befehlend.)* So lachen Sie doch!

MARINELLI. Gleich, gnädige Gräfin, gleich!

ORSINA. Stock![1] Und darüber geht der Augenblick vorbei. Nein, nein, lachen Sie nur nicht. – Denn sehen Sie, Marinelli, *(nachdenkend bis zu Rührung)* was mich so herzlich zu lachen macht, das hat auch seine ernsthafte – sehr ernsthafte Seite. Wie alles in der Welt! – Zufall? Ein Zufall wär's, dass der Prinz nicht daran gedacht, mich hier zu sprechen, und mich doch hier sprechen muss? Ein Zufall? – Glauben Sie mir, Marinelli: das Wort Zufall ist Gotteslästerung. Nichts unter der Sonne ist Zufall – am wenigsten das, wovon die Absicht so klar in die Augen leuchtet. – Allmächtige, allgütige Vorsicht[2], vergib mir, dass ich mit diesem albernen Sünder einen Zufall genennet habe, was so offenbar dein Werk, wohl gar dein unmittelbares Werk ist! – *(Hastig gegen Marinelli.)* Kommen Sie mir und verleiten Sie mich noch einmal zu so einem Frevel!

---

[1] hier: Mensch ohne Gefühlsregung
[2] Vorsehung

Marinelli *(vor sich).* Das geht weit! – Aber gnädige Gräfin –

Orsina. Still mit dem Aber! Die Aber kosten Überlegung – und mein Kopf! mein Kopf! *(Sich mit der Hand die Stirne haltend.)* – Machen Sie, Marinelli, machen Sie, dass
5 ich ihn bald spreche, den Prinzen; sonst bin ich es wohl gar nicht imstande. – Sie sehen, wir sollen uns sprechen, wir müssen uns sprechen –

Vierter Auftritt

Der Prinz. Orsina. Marinelli.

Der Prinz *(indem er aus dem Kabinette tritt, vor sich).* Ich muss ihm zur Hilfe kommen –
10 Orsina *(die ihn erblickt, aber unentschlüssig bleibt, ob sie auf ihn zugehen soll).* Ha! da ist er.

Der Prinz *(geht quer über den Saal, bei ihr vorbei, nach den andern Zimmern, ohne sich im Reden aufzuhalten).* Sieh da! unsere schöne Gräfin. – Wie sehr bedaure ich,
15 Madame, dass ich mir die Ehre Ihres Besuchs für heute so wenig zunutze machen kann! Ich bin beschäftiget. Ich bin nicht allein. – Ein andermal, meine liebe Gräfin! Ein andermal. – Itzt halten Sie länger sich nicht auf. Ja nicht länger! – Und Sie, Marinelli, ich erwarte Sie. –

Fünfter Auftritt

Orsina. Marinelli.

20 Marinelli. Haben Sie es, gnädige Gräfin, nun von ihm selbst gehört, was Sie mir nicht glauben wollen?

Orsina *(wie betäubt).* Hab ich? hab ich wirklich?

Marinelli. Wirklich.

Orsina *(mit Rührung).* „Ich bin beschäftiget. Ich bin nicht
25 allein.“ Ist das die Entschuldigung ganz, die ich wert bin? Wen weiset man damit nicht ab? Jeden Überlästigen, jeden Bettler. Für mich keine einzige Lüge mehr? Keine einzige kleine Lüge mehr, für mich? – Beschäftiget? womit denn? Nicht allein? wer wäre denn bei ihm? – Kommen
30 Sie, Marinelli; aus Barmherzigkeit, lieber Marinelli! Lügen

Sie mir eines auf eigene Rechnung vor. Was kostet Ihnen denn eine Lüge? – Was hat er zu tun? Wer ist bei ihm? – Sagen Sie mir, sagen Sie mir, was Ihnen zuerst in den Mund kömmt – und ich gehe.

5 MARINELLI *(vor sich)*. Mit dieser Bedingung kann ich ihr ja wohl einen Teil der Wahrheit sagen.

ORSINA. Nun? Geschwind, Marinelli, und ich gehe. – Er sagte ohnedem, der Prinz: „Ein andermal, meine liebe Gräfin!" Sagte er nicht so? – Damit er mir Wort hält, damit er
10 keinen Vorwand hat, mir nicht Wort zu halten: geschwind, Marinelli, Ihre Lüge, und ich gehe.

MARINELLI. Der Prinz, liebe Gräfin, ist wahrlich nicht allein. Es sind Personen bei ihm, von denen er sich keinen Augenblick abmüßigen kann[1]; Personen, die eben einer
15 großen Gefahr entgangen sind. Der Graf Appiani –

ORSINA. Wäre bei ihm? – Schade, dass ich über diese Lüge Sie ertappen muss. Geschwind eine andere. – Denn Graf Appiani, wenn Sie es noch nicht wissen, ist eben von Räubern erschossen worden. Der Wagen mit seinem Leichna-
20 me begegnete mir kurz vor der Stadt. – Oder ist er nicht? Hätte es mir bloß geträumet?

MARINELLI. Leider nicht bloß geträumet! – Aber die andern, die mit dem Grafen waren, haben sich glücklich hieher nach dem Schlosse gerettet: seine Braut nämlich und die
25 Mutter der Braut, mit welchen er nach Sabionetta zu seiner feierlichen Verbindung fahren wollte.

ORSINA. Also die? Die sind bei dem Prinzen? Die Braut? und die Mutter der Braut? – Ist die Braut schön?

MARINELLI. Dem Prinzen geht ihr Unfall[2] ungemein nahe.

30 ORSINA. Ich will hoffen, auch wenn sie hässlich wäre. Denn ihr Schicksal ist schrecklich. – Armes gutes Mädchen, eben da er dein auf immer werden sollte, wird er dir auf immer entrissen! – Wer ist sie denn, diese Braut? Kenn ich sie gar? – Ich bin so lange aus der Stadt, dass ich von nichts
35 weiß.

MARINELLI. Es ist Emilia Galotti.

---

[1] von denen er sich keinen Augenblick freimachen kann
[2] Unglück

ORSINA. Wer? – Emilia Galotti? Emilia Galotti? – Marinelli,
dass ich diese Lüge nicht für Wahrheit nehme!

MARINELLI. Wieso?

ORSINA. Emilia Galotti?

5 MARINELLI. Die Sie schwerlich kennen werden –

ORSINA. Doch! doch! Wenn es auch nur von heute wäre. –
Im Ernst, Marinelli? Emilia Galotti? – Emilia Galotti wäre
die unglückliche Braut, die der Prinz tröstet?

MARINELLI *(vor sich)*. Sollte ich ihr schon zu viel gesagt ha-
10 ben?

ORSINA. Und der Graf Appiani war der Bräutigam dieser
Braut? der eben erschossene Appiani?

MARINELLI. Nicht anders.

ORSINA. Bravo! o bravo! bravo! *(In die Hände schlagend.)*

15 MARINELLI. Wie das?

ORSINA. Küssen möcht ich den Teufel, der ihn dazu verleitet
hat.

MARINELLI. Wen? verleitet? wozu?

ORSINA. Ja, küssen, küssen möcht ich ihn – Und wenn Sie
20 selbst dieser Teufel wären, Marinelli.

MARINELLI. Gräfin!

ORSINA. Kommen Sie her! Sehen Sie mich an! steif[1] an!
Aug' in Auge!

MARINELLI. Nun?

25 ORSINA. Wissen Sie nicht, was ich denke?

MARINELLI. Wie kann ich das?

ORSINA. Haben Sie keinen Anteil daran?

MARINELLI. Woran?

ORSINA. Schwören Sie! – Nein, schwören Sie nicht. Sie
30 möchten eine Sünde mehr begehen. – Oder ja, schwören
Sie nur. Eine Sünde mehr oder weniger für einen, der
doch verdammt ist! – Haben Sie keinen Anteil daran?

MARINELLI. Sie erschrecken mich, Gräfin.

ORSINA. Gewiss? – Nun, Marinelli, argwohnet Ihr gutes
35 Herz auch nichts?

MARINELLI. Was? Worüber?

ORSINA. Wohl – so will ich Ihnen etwas vertrauen – etwas,
das Ihnen jedes Haar auf dem Kopfe zu Berge sträuben soll.

---

[1] fest

– Aber hier, so nahe an der Türe, möchte uns jemand hören. Kommen Sie hierher! – Und! *(Indem sie den Finger
auf den Mund legt)* Hören Sie! ganz in geheim! ganz in
geheim! *(und ihren Mund seinem Ohre nähert, als ob sie*
5 *ihm zuflüstern wollte, was sie aber sehr laut ihm zu-
schreiet.)* Der Prinz ist ein Mörder!

MARINELLI. Gräfin – Gräfin – sind Sie ganz von Sinnen?

ORSINA. Von Sinnen? Ha! ha! ha! *(Aus vollem Halse la-
chend.)* Ich bin selten oder nie mit meinem Verstand so
10 wohl zufrieden gewesen als eben itzt. – Zuverlässig, Marinelli – aber es bleibt unter uns – *(leise)* der Prinz ist ein
Mörder! des Grafen Appiani Mörder! – Den haben nicht
Räuber, den haben Helfershelfer des Prinzen, den hat der
Prinz umgebracht.

15 MARINELLI. Wie kann Ihnen so eine Abscheulichkeit in den
Mund, in die Gedanken kommen?

ORSINA. Wie? – Ganz natürlich. – Mit dieser Emilia Galotti
– die hier bei ihm ist – deren Bräutigam so über Hals über
Kopf sich aus der Welt trollen müssen – mit dieser Emilia
20 Galotti hat der Prinz heute Morgen, in der Halle bei den
Dominikanern, ein Langes und Breites gesprochen. Das
weiß ich, das haben meine Kundschafter gesehen. Sie
haben auch gehört, was er mit ihr gesprochen. – Nun,
guter Herr? Bin ich von Sinnen? Ich reime, dächt' ich,
25 doch noch ziemlich zusammen, was zusammen gehört. –
Oder trifft auch das nur so von ungefähr zu? Ist Ihnen
auch das Zufall? Oh, Marinelli, so verstehen Sie auf die
Bosheit der Menschheit sich ebenso schlecht als auf die
Vorsicht.

30 MARINELLI. Gräfin, Sie würden sich um den Hals reden –

ORSINA. Wenn ich das mehrern sagte? – Desto besser, desto besser! – Morgen will ich es auf dem Markte ausrufen. –
Und wer mir widerspricht – wer mir widerspricht, der war
35 des Mörders Spießgeselle. – Leben Sie wohl. *(Indem sie
fortgehen will, begegnet sie an der Türe dem alten Galotti, der eiligst hereintritt.)*

Sechster Auftritt

Odoardo Galotti. Die Gräfin. Marinelli.

ODOARDO GALOTTI. Verzeihen Sie, gnädige Frau –

ORSINA. Ich habe hier nichts zu verzeihen. Denn ich habe hier nichts übelzunehmen – An diesen Herrn wenden Sie sich. *(Ihn nach dem Marinelli weisend.)*

5 MARINELLI *(indem er ihn erblicket, vor sich).* Nun vollends! der Alte! –

ODOARDO. Vergeben Sie, mein Herr, einem Vater, der in der äußersten Bestürzung ist – dass er so unangemeldet hereintritt.

10 ORSINA. Vater? *(Kehrt wieder um.)* Der Emilia, ohne Zweifel. – Ha, willkommen.

ODOARDO. Ein Bedienter kam mir entgegengesprengt, mit der Nachricht, dass hierherum die Meinigen in Gefahr wären. Ich fliege herzu und höre, dass der Graf Appiani ver-
15 wundet worden, dass er nach der Stadt zurückgekehret, dass meine Frau und Tochter sich in das Schloss gerettet. – Wo sind sie, mein Herr? wo sind sie?

MARINELLI. Sein Sie ruhig, Herr Oberster. Ihrer Gemahlin und Ihrer Tochter ist nichts Übels widerfahren, den
20 Schreck ausgenommen. Sie befinden sich beide wohl. Der Prinz ist bei ihnen. Ich gehe sogleich, Sie zu melden.

ODOARDO. Warum melden? erst melden?

MARINELLI. Aus Ursachen – von wegen – Von wegen des Prinzen. Sie wissen, Herr Oberster, wie Sie mit dem Prin-
25 zen stehen. Nicht auf dem freundschaftlichsten Fuße. So gnädig er sich gegen Ihre Gemahlin und Tochter bezeiget – es sind Damen – Wird darum auch Ihr unvermuteter Anblick ihm gelegen sein?

ODOARDO. Sie haben Recht, mein Herr, Sie haben Recht.

30 MARINELLI. Aber, gnädige Gräfin – kann ich vorher die Ehre haben, Sie nach Ihrem Wagen zu begleiten?

ORSINA. Nicht doch, nicht doch.

MARINELLI *(sie bei der Hand nicht unsanft ergreifend).* Erlauben Sie, dass ich meine Schuldigkeit beobachte.[1] –

---

[1] meine Pflicht erfülle

ORSINA. Nur gemach![1] – Ich erlasse Sie deren, mein Herr! Dass doch immer Ihresgleichen Höflichkeit zur Schuldigkeit machen, um, was eigentlich ihre Schuldigkeit wäre, als die Nebensache betreiben zu dürfen! – Diesen würdigen Mann je eher, je lieber zu melden, das ist Ihre Schuldigkeit.

MARINELLI. Vergessen Sie, was Ihnen der Prinz selbst befohlen?

ORSINA. Er komme und befehle mir es noch einmal. Ich erwarte ihn.

MARINELLI *(leise zu dem Obersten, den er beiseiteziehet).* Mein Herr, ich muss Sie hier mit einer Dame lassen, die – der – mit deren Verstande – Sie verstehen mich. Ich sage Ihnen dieses, damit Sie wissen, was Sie auf ihre Reden zu geben haben – deren sie oft sehr seltsame führet. Am besten, Sie lassen sich mit ihr nicht ins Wort.

ODOARDO. Recht wohl. – Eilen Sie nur, mein Herr.

Siebenter Auftritt

Die Gräfin Orsina. Odoardo Galotti.

ORSINA *(nach einigem Stillschweigen, unter welchem sie den Obersten mit Mitleid betrachtet, so wie er sie mit einer flüchtigen Neugierde).* Was er Ihnen auch da gesagt hat, unglücklicher Mann! –

ODOARDO *(halb vor sich, halb gegen sie).* Unglücklicher?

ORSINA. Eine Wahrheit war es gewiss nicht – am wenigsten eine von denen, die auf Sie warten.

ODOARDO. Auf mich warten? – Weiß ich nicht schon genug? – Madame! – Aber, reden Sie nur, reden Sie nur.

ORSINA. Sie wissen nichts.

ODOARDO. Nichts?

ORSINA. Guter, lieber Vater! – Was gäbe ich darum, wenn Sie auch mein Vater wären! – Verzeihen Sie! Die Unglücklichen ketten sich so gern aneinander. – Ich wollte treulich Schmerz und Wut mit Ihnen teilen.

ODOARDO. Schmerz und Wut? Madame! – Aber ich vergesse – Reden Sie nur.

---

[1] langsam

ORSINA. Wenn es gar Ihre einzige Tochter – Ihr einziges Kind wäre! – Zwar einzig oder nicht. Das unglückliche Kind ist immer das einzige.

ODOARDO. Das unglückliche? – Madame! – Was will ich von
5 ihr? – Doch, bei Gott, so spricht keine Wahnwitzige!

ORSINA. Wahnwitzige? Das war es also, was er Ihnen von mir vertraute? – Nun, nun, es mag leicht[1] keine von seinen gröbsten Lügen sein. – Ich fühle so was! – Und glauben Sie, glauben Sie mir: Wer über gewisse Dinge den Ver-
10 stand nicht verlieret, der hat keinen zu verlieren. –

ODOARDO. Was soll ich denken?

ORSINA. Dass Sie mich also ja nicht verachten! – Denn auch Sie haben Verstand, guter Alter, auch Sie. – Ich seh es an dieser entschlossenen, ehrwürdigen Miene. Auch Sie ha-
15 ben Verstand; und es kostet mich ein Wort – so haben Sie keinen.

ODOARDO. Madame! – Madame! – Ich habe schon keinen mehr, noch ehe Sie mir dieses Wort sagen, wenn Sie mir es nicht bald sagen. – Sagen Sie es! sagen Sie es! Oder
20 es ist nicht wahr – es ist nicht wahr, dass Sie von jener guten, unsers Mitleids, unserer Hochachtung so würdigen Gattung der Wahnwitzigen sind – Sie sind eine gemeine Törin. Sie haben nicht, was Sie nie hatten.

ORSINA. So merken Sie auf! – Was wissen Sie, der Sie
25 schon genug wissen wollen? Dass Appiani verwundet worden? Nur verwundet? – Appiani ist tot!

ODOARDO. Tot? tot? – Ha, Frau, das ist wider die Abrede. Sie wollten mich um den Verstand bringen: und Sie brechen mir das Herz.

30 ORSINA. Das beiher![2] – Nur weiter. – Der Bräutigam ist tot, und die Braut – Ihre Tochter – schlimmer als tot.

ODOARDO. Schlimmer? schlimmer als tot? – Aber doch zugleich auch tot? – Denn ich kenne nur *ein* Schlimmeres –

ORSINA. Nicht zugleich auch tot. Nein, guter Vater, nein! –
35 Sie lebt, sie lebt. Sie wird nun erst recht anfangen zu leben. – Ein Leben voll Wonne! Das schönste, lustigste Schlaraffenleben – solang es dauert.

---

[1] vielleicht
[2] nebenbei

ODOARDO. Das Wort, Madame, das einzige Wort, das mich um den Verstand bringen soll! heraus damit! – Schütten Sie nicht Ihren Tropfen Gift in einen Eimer. – Das einzige Wort! geschwind.

5 ORSINA. Nun da, buchstabieren Sie es zusammen. – Des Morgens sprach der Prinz Ihre Tochter in der Messe, des Nachmittags hat er sie auf seinem Lustschlosse.

ODOARDO. Sprach sie in der Messe? Der Prinz meine Tochter?

10 ORSINA. Mit einer Vertraulichkeit! mit einer Inbrunst![1] – Sie hatten nichts Kleines abzureden. Und recht gut, wenn es abgeredet[2] worden, recht gut, wenn Ihre Tochter freiwillig sich hierher gerettet! Sehen Sie: so ist es doch keine gewaltsame Entführung, sondern bloß ein kleiner – kleiner
15 Meuchelmord.

ODOARDO. Verleumdung! verdammte Verleumdung! Ich kenne meine Tochter. Ist es Meuchelmord, so ist es auch Entführung. – *(Blickt wild um sich und stampft und schäumet.)* Nun, Claudia? Nun, Mütterchen? – Haben wir
20 nicht Freude erlebt! O des gnädigen Prinzen! O der ganz besondern Ehre!

ORSINA. Wirkt es, Alter! wirkt es?

ODOARDO. Da steh ich nun vor der Höhle des Räubers – *(Indem er den Rock von beiden Seiten auseinanders-*
25 *chlägt und sich ohne Gewehr sieht.)* Wunder, dass ich aus Eilfertigkeit nicht auch die Hände zurückgelassen! – *(An alle Schubsäcke[3] fühlend, als etwas suchend.)* Nichts! gar nichts! nirgends!

ORSINA. Ha, ich verstehe! – Damit kann ich aushelfen! – Ich
30 hab einen mitgebracht. *(Einen Dolch hervorziehend.)* Da nehmen Sie! Nehmen Sie geschwind, eh' uns jemand sieht! – Auch hätte ich noch etwas – Gift. Aber Gift ist nur für uns Weiber, nicht für Männer. – Nehmen Sie ihn! *(Ihm den Dolch aufdringend.)* Nehmen Sie!

35 ODOARDO. Ich danke, ich danke. – Liebes Kind, wer wieder sagt, dass du eine Närrin bist, der hat es mit mir zu tun.

---

[1] starkes Verlangen
[2] verabredet
[3] Taschen

ORSINA. Stecken Sie beiseite! geschwind beiseite! – Mir – wird die Gelegenheit versagt, Gebrauch davon zu machen. Ihnen wird sie nicht fehlen, diese Gelegenheit, und Sie werden sie ergreifen, die erste, die beste – wenn Sie ein Mann sind. – Ich, ich bin nur ein Weib, aber so kam ich her! fest entschlossen! – Wir, Alter, wir können uns alles vertrauen. Denn wir sind beide beleidigt, von dem nämlichen Verführer beleidiget. – Ah, wenn Sie wüssten – wenn sie wüssten, wie überschwänglich, wie unaussprechlich, wie unbegreiflich ich von ihm beleidiget worden und noch werde – Sie könnten, Sie würden Ihre eigene Beleidigung darüber vergessen. – Kennen Sie mich? Ich bin Orsina, die betrogene, verlassene Orsina. – Zwar vielleicht nur um Ihre Tochter[1] verlassen. – Doch was kann Ihre Tochter dafür? – Bald wird auch sie verlassen sein. – Und dann wieder eine! – Und wieder eine! – Ha! *(wie in der Entzückung)* welch eine himmlische Fantasie! Wann wir einmal alle – wir, das ganze Heer der Verlassenen – wir alle in Bacchantinnen[2], in Furien[3] verwandelt, wenn wir alle ihn unter uns hätten, ihn unter uns zerrissen, zerfleischten, sein Eingeweide durchwühlten – um das Herz zu finden, das der Verräter einer jeden versprach und keiner gab! Ha! das sollte ein Tanz werden! das sollte!

Achter Auftritt

Claudia Galotti. Die Vorigen.

CLAUDIA *(die im Hereintreten sich umsiehet und, sobald sie ihren Gemahl erblickt, auf ihn zuflieget)*. Erraten! – Ah, unser Beschützer, unser Retter! Bist du da, Odoardo? Bist du da? – Aus ihren Wispern, aus ihren Mienen schloss ich es. – Was soll ich dir sagen, wenn du noch nichts weißt! – Was soll ich dir sagen, wenn du schon alles weißt? – Aber wir sind unschuldig. Ich bin unschuldig. Deine Tochter ist unschuldig. Unschuldig, in allem unschuldig!

---

[1] wegen Ihrer Tochter
[2] Begleiterinnen des Weingottes Bacchus
[3] Rachegöttinnen

ODOARDO *(der sich bei der Erblickung seiner Gemahlin zu fassen gesucht).* Gut, gut. Sei nur ruhig, nur ruhig – und antworte mir. *(Gegen die Orsina.)* Nicht, Madame, als ob ich noch zweifelte – Ist der Graf tot?

5 CLAUDIA. Tot.

ODOARDO. Ist es wahr, dass der Prinz heute Morgen Emilien in der Messe gesprochen?

CLAUDIA. Wahr. Aber wenn du wüsstest, welchen Schreck es ihr verursacht, in welcher Bestürzung sie nach Hause

10   kam –

ORSINA. Nun, hab ich gelogen?

ODOARDO *(mit einem bittern Lachen).* Ich wollt' auch nicht, Sie hätten! Um wie vieles nicht!

ORSINA. Bin ich wahnwitzig?

15 ODOARDO *(wild hin und her gehend).* Oh – noch bin ich es auch nicht. –

CLAUDIA. Du gebotest mir ruhig zu sein, und ich bin ruhig. – Bester Mann, darf auch ich – ich dich bitten –

ODOARDO. Was willst du? Bin ich nicht ruhig? Kann man

20   ruhiger sein, als ich bin? *(Sich zwingend.)* Weiß es Emilia, dass Appiani tot ist?

CLAUDIA. Wissen kann sie es nicht. Aber ich fürchte, dass sie es argwohnet, weil er nicht erscheinet. –

ODOARDO. Und sie jammert und winselt. –

25 CLAUDIA. Nicht mehr. – Das ist vorbei: nach ihrer Art, die du kennest. Sie ist die Furchtsamste und Entschlossenste unsers Geschlechts. Ihrer ersten Eindrücke nie mächtig, aber nach der geringsten Überlegung in alles sich findend, auf alles gefasst. Sie hält den Prinzen in einer Entfernung,

30   sie spricht mit ihm in einem Tone – Mache nur, Odoardo, dass wir wegkommen.

ODOARDO. Ich bin zu Pferde. – Was zu tun? – Doch, Madame, Sie fahren ja nach der Stadt zurück?

ORSINA. Nicht anders.

35 ODOARDO. Hätten Sie wohl die Gewogenheit, meine Frau mit sich zu nehmen?

ORSINA. Warum nicht? Sehr gern.

ODOARDO. Claudia – *(ihr die Gräfin bekannt machend)* die Gräfin Orsina, eine Dame von großem Verstande,

40   meine Freundin, meine Wohltäterin. – Du musst mit ihr

herein, um uns sogleich den Wagen herauszuschicken.
Emilia darf nicht wieder nach Guastalla. Sie soll mit mir.

CLAUDIA. Aber – wenn nur – Ich trenne mich ungern von
dem Kinde.

5 ODOARDO. Bleibt der Vater nicht in der Nähe? Man wird
ihn endlich doch vorlassen. Keine Einwendung! – Kommen Sie, gnädige Frau. *(Leise zu ihr.)* Sie werden von mir
hören. – Komm, Claudia. *(Er führt sie ab.)*

Fünfter Aufzug

Die Szene bleibt.

Erster Auftritt

Marinelli. Der Prinz.

MARINELLI. Hier, gnädiger Herr, aus diesem Fenster können Sie ihn sehen. Er geht die Arkade[1] auf und nieder. – Eben biegt er ein, er kömmt. – Nein, er kehrt wieder um. – Ganz einig ist er mit sich noch nicht. Aber um ein Gro-
5 ßes ruhiger ist er – oder scheinet er. Für uns gleichviel! – Natürlich! Was ihm auch beide Weiber in den Kopf gesetzt haben, wird er es wagen zu äußern? – Wie Battista gehört, soll ihm seine Frau den Wagen gleich heraussenden. Denn er kam zu Pferde. – Geben Sie Acht, wenn er nun
10 vor Ihnen erscheinet, wird er ganz untertänigst Eurer Durchlaucht[2] für den gnädigen Schutz danken, den seine Familie bei diesem so traurigen Zufalle[3] hier gefunden; wird sich, mitsamt seiner Tochter, zu fernerer[4] Gnade empfehlen; wird sie ruhig nach der Stadt bringen und es in
15 tiefster Unterwerfung erwarten, welchen weitern Anteil Euer Durchlaucht an seinem unglücklichen, lieben Mädchen zu nehmen geruhen wollen.

DER PRINZ. Wenn er nun aber so zahm nicht ist? Und schwerlich, schwerlich wird er es sein. Ich kenne ihn zu
20 gut. – Wenn er höchstens seinen Argwohn erstickt, seine Wut verbeißt: aber Emilien, anstatt sie nach der Stadt zu führen, mit sich nimmt? bei sich behält? oder wohl gar in ein Kloster, außer meinem Gebiete, verschließt? Wie dann?

MARINELLI. Die fürchtende Liebe sieht weit. Wahrlich! –
25 Aber er wird ja nicht –

DER PRINZ. Wenn er nun aber! Wie dann? Was wird es uns dann helfen, dass der unglückliche Graf sein Leben darüber verloren?

---

[1] Bogengang
[2] Anrede für den Fürsten, Ehrentitel
[3] Zwischenfall
[4] weiterer

MARINELLI. Wozu dieser traurige Seitenblick? Vorwärts!
denkt der Sieger, es falle neben ihm Feind oder Freund. –
Und wenn auch! Wenn er es auch wollte, der alte Neid-
hart[1], was Sie von ihm fürchten, Prinz. – *(Überlegend.)*
5   Das geht! Ich hab es! – Weiter als zum Wollen soll er es
gewiss nicht bringen. Gewiss nicht! – Aber dass wir ihn
nicht aus dem Gesichte verlieren. – *(Tritt wieder ans
Fenster.)* Bald hätt er uns überrascht! Er kömmt. – Lassen
Sie uns ihm noch ausweichen, und hören Sie erst, Prinz,
10   was wir auf den zu befürchtenden Fall tun müssen.
DER PRINZ *(drohend)*. Nur, Marinelli! –
MARINELLI. Das Unschuldigste von der Welt!

Zweiter Auftritt

ODOARDO GALOTTI. Noch niemand hier? – Gut, ich soll
noch kälter werden. Es ist mein Glück. – Nichts verächtli-
15   cher als ein brausender Jünglingskopf mit grauen Haaren!
Ich hab es mir so oft gesagt. Und doch ließ ich mich fort-
reißen: und von wem? Von einer Eifersüchtigen, von einer für[2] Eifersucht Wahnwitzigen. – Was hat die gekränk-
te Tugend mit der Rache des Lasters zu schaffen? Jene
20   allein hab ich zu retten. – Und deine Sache – mein Sohn!
mein Sohn! – Weinen konnt' ich nie – und will es nun
nicht erst lernen – Deine Sache wird ein ganz anderer
zu seiner machen![3] Genug für mich, wenn dein Mörder
die Frucht seines Verbrechens nicht genießt. – Dies
25   martere ihn mehr als das Verbrechen! Wenn nun bald ihn
Sättigung und Ekel von Lüsten zu Lüsten treiben, so ver-
gälle[4] die Erinnerung, diese eine Lust nicht gebüßet[5] zu
haben, ihm den Genuss aller! In jedem Traume führe der
blutige Bräutigam ihm die Braut vor das Bette, und wann
30   er dennoch den wollüstigen Arm nach ihr ausstreckt, so

---

[1]   streitsüchtige Person
[2]   vor
[3]   Vgl. Röm. 12, 19: „Die Rache ist mein, ich will vergelten spricht der
Herr."
[4]   verderbe
[5]   befriedigt

höre er plötzlich das Hohngelächter der Hölle und erwache!

Dritter Auftritt

Marinelli. Odoardo Galotti.

MARINELLI. Wo blieben Sie, mein Herr? wo blieben Sie?

ODOARDO. War meine Tochter hier?

5 MARINELLI. Nicht sie, aber der Prinz.

ODOARDO. Er verzeihe. – Ich habe die Gräfin begleitet.

MARINELLI. Nun?

ODOARDO. Die gute Dame!

MARINELLI. Und Ihre Gemahlin?

10 ODOARDO. Ist mit der Gräfin – um uns den Wagen sogleich herauszusenden. Der Prinz vergönne nur, dass ich mich so lange mit meiner Tochter noch hier verweile.

MARINELLI. Wozu diese Umstände? Würde sich der Prinz nicht ein Vergnügen daraus gemacht haben, sie beide,

15 Mutter und Tochter, selbst nach der Stadt zu bringen?

ODOARDO. Die Tochter wenigstens würde diese Ehre haben verbitten müssen.

MARINELLI. Wieso?

ODOARDO. Sie soll nicht mehr nach Guastalla.

20 MARINELLI. Nicht? und warum nicht?

ODOARDO. Der Graf ist tot.

MARINELLI. Um so viel mehr –

ODOARDO. Sie soll mit mir.

MARINELLI. Mit Ihnen?

25 ODOARDO. Mit mir. Ich sagen Ihnen ja, der Graf ist tot. – Wenn Sie es noch nicht wissen. – Was hat sie nun weiter in Guastalla zu tun? – Sie soll mit mir.

MARINELLI. Allerdings wird der künftige Aufenthalt der Tochter einzig von dem Willen des Vaters abhangen. Nur

30 vors Erste[1] –

ODOARDO. Was vors Erste?

MARINELLI. Werden Sie wohl erlauben müssen, Herr Oberster, dass sie nach Guastalla gebracht wird.

---

[1] zunächst

ODOARDO. Meine Tochter? nach Guastalla gebracht wird? und warum?

MARINELLI. Warum? Erwägen Sie doch nur –

ODOARDO *(hitzig.)* Erwägen! erwägen! Ich erwäge, dass hier
5   nichts zu erwägen ist. – Sie soll, sie muss mit mir.

MARINELLI. O mein Herr – was brauchen wir uns hierüber zu ereifern? Es kann sein, dass ich mich irre, dass es nicht nötig ist, was ich für nötig halte. – Der Prinz wird es am besten zu beurteilen wissen. Der Prinz entscheide. – Ich
10   geh und hole ihn.

Vierter Auftritt

ODOARDO GALOTTI. Wie? – Nimmermehr! – Mir vorschreiben, wo sie hin soll? – Mir sie vorenthalten? – Wer will das? Wer darf das? – Der hier alles darf, was er will?
Gut, gut, so soll er sehen, wie viel auch ich darf, ob ich
15   es schon nicht dürfte! Kurzsichtiger Wüterich! Mit dir will ich es wohl aufnehmen. Wer kein Gesetz achtet, ist ebenso mächtig, als wer kein Gesetz hat. Das weißt du nicht? Komm an! komm an! – Aber, sieh da! Schon wieder, schon wieder rennet der Zorn mit dem Verstande davon. –
20   Was will ich? Erst müsst es doch geschehen sein, worüber ich tobe. Was plaudert nicht eine Hofschranze[1]! Und hätte ich ihn doch nur plaudern lassen! Hätte ich seinen Vorwand, warum sie wieder nach Guastalla soll, doch nur angehört! – So könnte ich mich itzt[2] auf eine Antwort gefasst
25   machen. – Zwar auf welchen kann mir eine fehlen? – Sollte sie mir aber fehlen, sollte sie – Man kömmt. Ruhig, alter Knabe, ruhig!

Fünfter Auftritt

Der Prinz. Marinelli. Odoardo Galotti.

DER PRINZ. Ah, mein lieber, rechtschaffner Galotti – so etwas muss auch geschehen, wenn ich Sie bei mir sehen

---

[1] Höfling, Fürstenknecht
[2] jetzt

soll. Um ein Geringeres tun Sie es nicht. Doch keine Vorwürfe.

ODOARDO. Gnädiger Herr, ich halte es in allen Fällen für unanständig, sich zu seinem Fürsten zu drängen. Wen er
5 kennt, den wird er fodern lassen[1], wenn er seiner bedarf. Selbst itzt bitte ich um Verzeihung –

DER PRINZ. Wie manchem andern wollte ich diese stolze Bescheidenheit wünschen! – Doch zur Sache. Sie werden begierig sein, Ihre Tochter zu sehen. Sie ist in neuer Unru-
10 he wegen der plötzlichen Entfernung einer so zärtlichen Mutter. – Wozu auch diese Entfernung? Ich wartete nur, dass die liebenswürdige Emilie sich völlig erholet hätte, um beide im Triumphe nach der Stadt zu bringen. Sie haben mir diesen Triumph um die Hälfte verkümmert[2], aber ganz
15 werde ich mir ihn nicht nehmen lassen.

ODOARDO. Zu viel Gnade! – Erlauben Sie, Prinz, dass ich meinem unglücklichen Kinde alle die mannigfaltigen Kränkungen erspare, die Freund und Feind, Mitleid und Schadenfreude in Guastalla für sie bereithalten.
20 DER PRINZ. Um die süßen Kränkungen des Freundes und des Mitleids, würde es Grausamkeit sein, sie zu bringen. Dass aber die Kränkungen des Feindes und der Schadenfreude sie nicht erreichen sollen, dafür, lieber Galotti, lassen Sie mich sorgen.

25 ODOARDO. Prinz, die väterliche Liebe teilet ihre Sorgen nicht gern. – Ich denke, ich weiß es, was meiner Tochter in ihren itzigen Umständen einzig ziemet – Entfernung aus der Welt – ein Kloster – sobald als möglich.

DER PRINZ. Ein Kloster?
30 ODOARDO. Bis dahin weine sie unter den Augen ihres Vaters.

DER PRINZ. So viel Schönheit soll in einem Kloster verblühen? – Darf eine einzige fehlgeschlagene Hoffnung uns gegen die Welt so unversöhnlich machen? – Doch aller-
35 dings: dem Vater hat niemand einzureden. Bringen Sie Ihre Tochter, Galotti, wohin Sie wollen.

ODOARDO *(gegen Marinelli).* Nun, mein Herr?

---

[1] kommen lassen
[2] verringert

MARINELLI. Wenn Sie mich sogar auffodern! –

ODOARDO. O mitnichten, mitnichten.

DER PRINZ. Was haben Sie beide?

ODOARDO. Nichts, gnädiger Herr, nichts. – Wir erwägen
5 bloß, welcher von uns sich in Ihnen geirret hat.

DER PRINZ. Wieso? – Reden Sie, Marinelli.

MARINELLI. Es geht mir nahe, der Gnade meines Fürsten in
den Weg zu treten. Doch wenn die Freundschaft gebietet,
vor allem in ihm den Richter aufzufodern. –

10 DER PRINZ. Welche Freundschaft? –

MARINELLI. Sie wissen, gnädiger Herr, wie sehr ich den
Grafen Appiani liebte, wie sehr unser beider Seelen inei-
nander verwebt schienen –

ODOARDO. Das wissen Sie, Prinz? So wissen Sie es wahr-
15 lich allein.

MARINELLI. Von ihm selbst zu seinem Rächer bestellet –

ODOARDO. Sie?

MARINELLI. Fragen Sie nur Ihre Gemahlin. Marinelli, der
Name Marinelli war das letzte Wort des sterbenden Gra-
20 fen, und in einem Tone! in einem Tone! – Dass er mir nie
aus dem Gehöre komme, dieser schreckliche Ton, wenn
ich nicht alles anwende, dass seine Mörder entdeckt und
bestraft werden!

DER PRINZ. Rechnen Sie auf meine kräftigste Mitwirkung.

25 ODOARDO. Und meine heißesten Wünsche! – Gut, gut! –
Aber was weiter?

DER PRINZ. Das frag ich, Marinelli.

MARINELLI. Man hat Verdacht, dass es nicht Räuber gewesen, welche den Grafen angefallen.

30 ODOARDO *(höhnisch).* Nicht? Wirklich nicht?

MARINELLI. Dass ein Nebenbuhler ihn aus dem Wege räu-
men lassen.

ODOARDO *(bitter).* Ei! Ein Nebenbuhler?

MARINELLI. Nicht anders.

35 ODOARDO. Nun dann – Gott verdamm' ihn, den meuchel-
mörder'schen Buben!

MARINELLI. Ein Nebenbuhler, und ein begünstigter Nebenbuhler[1] –

---

[1]   ein Konkurrent, der Unterstützung erfahren hat

ODOARDO. Was? ein begünstigter? – Was sagen Sie?

MARINELLI. Nichts, als was das Gerüchte verbreitet.

ODOARDO. Ein begünstigter? – Was sagen Sie?

MARINELLI. Das ist gewiss nicht. Das kann nicht sein.

5 Dem widersprech ich, trotz Ihnen. – Aber bei dem allen,
gnädiger Herr – denn das gegründetste Vorurteil wieget
auf der Waage der Gerechtigkeit so viel als nichts – bei
dem allen wird man doch nicht umhinkönnen, die schöne
Unglückliche darüber zu vernehmen.

10 DER PRINZ. Jawohl, allerdings.

MARINELLI. Und wo anders? wo kann das anders geschehen als in Guastalla?

DER PRINZ. Da haben Sie Recht, Marinelli, da haben Sie
Recht. – Ja so, das verändert die Sache, lieber Galotti.

15 Nicht wahr? Sie sehen selbst –

ODOARDO. O ja, ich sehe – Ich sehe, was ich sehe. – Gott!
Gott!

DER PRINZ. Was ist Ihnen? was haben Sie mit sich?

ODOARDO. Dass ich es nicht vorausgesehen, was ich da

20 sehe. Das ärgert mich, weiter nichts. – Nun ja, sie soll
wieder nach Guastalla. Ich will sie wieder zu ihrer Mutter
bringen, und bis die strengste Untersuchung sie freige-
sprochen, will ich selbst aus Guastalla nicht weichen.
Denn wer weiß – *(mit einem bittern Lachen)* wer weiß,

25 ob die Gerechtigkeit nicht auch nötig findet, mich zu vernehmen.

MARINELLI. Sehr möglich! In solchen Fällen tut die Gerechtigkeit lieber zu viel als zu wenig. – Daher fürchte ich sogar –

DER PRINZ. Was? was fürchten Sie?

30 MARINELLI. Man werde vor der Hand nicht verstatten[1]
können, dass Mutter und Tochter sich sprechen.

ODOARDO. Sich nicht sprechen?

MARINELLI. Man werde genötiget sein, Mutter und Tochter
zu trennen.

35 ODOARDO. Mutter und Tochter zu trennen?

MARINELLI. Mutter und Tochter und Vater. Die Form des
Verhörs erfodert diese Vorsichtigkeit schlechterdings. Und
es tut mir leid, gnädiger Herr, dass ich mich gezwungen se-

---

[1] gestatten

he, ausdrücklich darauf anzutragen[1], wenigstens Emilien in eine besondere Verwahrung zu bringen.

ODOARDO. Besondere Verwahrung? – Prinz! Prinz! – Doch ja, freilich, freilich! Ganz recht: in eine besondere Verwah-
5 rung! Nicht, Prinz? nicht? – O wie fein die Gerechtigkeit ist! Vortrefflich! *(Fährt schnell nach dem Schubsacke, in welchem er den Dolch hat.)*

DER PRINZ *(schmeichelhaft auf ihn zutretend).* Fassen Sie sich, lieber Galotti –

10 ODOARDO *(beiseite, indem er die Hand leer wieder herauszieht).* Das sprach sein Engel!

DER PRINZ. Sie sind irrig[2]. Sie verstehen ihn nicht. Sie denken bei dem Worte Verwahrung wohl gar an Gefängnis und Kerker.

15 ODOARDO. Lassen Sie mich daran denken: und ich bin ruhig!

DER PRINZ. Kein Wort von Gefängnis, Marinelli! Hier ist die Strenge der Gesetze mit der Achtung gegen unbescholtene Tugend leicht zu vereinigen. Wenn Emilia in besondere Verwahrung gebracht werden muss, so weiß ich schon –
20 die alleranständigste. Das Haus meines Kanzlers – Keinen Widerspruch, Marinelli! – Da will ich sie selbst hinbringen, da will ich sie der Aufsicht einer der würdigsten Damen übergeben. Die soll mir für sie bürgen, haften. – Sie gehen zu weit, Marinelli, wirklich zu weit, wenn Sie mehr verlan-
25 gen. – Sie kennen doch, Galotti, meinen Kanzler Grimaldi und seine Gemahlin?

ODOARDO. Was sollt ich nicht? Sogar die liebenswürdigen Töchter dieses edeln Paares kenn ich. Wer kennt sie nicht? – *(Zu Marinelli.)* Nein, mein Herr, geben Sie das nicht zu.
30 Wenn Emilia verwahrt werden muss, so müsse sie in dem tiefsten Kerker verwahret werden. Dringen Sie darauf, ich bitte Sie. – Ich Tor, mit meiner Bitte! ich alter Geck![3] – Jawohl hat sie Recht die gute Sibylle[4]: „Wer über gewisse Dinge seinen Verstand nicht verlieret, der hat keinen zu
35 verlieren!"

---

[1] zu beantragen
[2] Sie irren sich.
[3] Narr
[4] vom heiligen Wahnsinn ergriffene, weissagende Frau in der Antike

DER PRINZ. Ich verstehe Sie nicht. – Lieber Galotti, was kann ich mehr tun? – Lassen Sie es dabei, ich bitte Sie. – Ja, ja, in das Haus meines Kanzlers! da soll sie hin; da bring ich sie selbst hin; und wenn ihr da nicht mit der äußersten Achtung begegnet wird, so hat mein Wort nichts gegolten. Aber sorgen Sie nicht. – Dabei bleibt es! dabei bleibt es! – Sie selbst, Galotti, mit sich, können es halten, wie Sie wollen. – Sie können uns nach Guastalla folgen, Sie können nach Sabionetta zurückkehren: wie Sie wollen. Es wäre lächerlich, Ihnen vorzuschreiben. – Und nun, auf Wiedersehen, lieber Galotti! – Kommen Sie, Marinelli, es wird spät.

ODOARDO *(der in tiefen Gedanken gestanden)*. Wie? so soll ich sie gar nicht sprechen, meine Tochter? Auch hier nicht? – Ich lasse mir ja alles gefallen, ich finde ja alles ganz vortrefflich. Das Haus eines Kanzlers ist natürlicherweise eine Freistatt der Tugend[1]. Oh, gnädiger Herr, bringen Sie ja meine Tochter dahin, nirgends anders als dahin. – Aber sprechen wollt ich sie doch gerne vorher. Der Tod des Grafen ist ihr noch unbekannt. Sie wird nicht begreifen können, warum man sie von ihren Eltern trennet. Ihr jenen auf gute Art beizubringen, sie dieser Trennung wegen zu beruhigen – muss ich sie sprechen, gnädiger Herr, muss ich sie sprechen.

DER PRINZ. So kommen Sie denn –

ODOARDO. Oh, die Tochter kann auch wohl zu dem Vater kommen. – Hier, unter vier Augen, bin ich gleich mit ihr fertig. Senden Sie mir sie nur, gnädiger Herr.

DER PRINZ. Auch das! – O Galotti, wenn Sie mein Freund, mein Führer, mein Vater sein wollten! *(Der Prinz und Marinelli gehen ab.)*

Sechster Auftritt

ODOARDO GALOTTI *(ihm nachsehend, nach einer Pause)*. Warum nicht? – Herzlich gern. – Ha! ha! ha! – *(Blickt wild umher.)* Wer lacht da? – Bei Gott, ich glaub, ich war es selbst. – Schon recht! Lustig, lustig! Das Spiel geht zu Ende. So oder so! – Aber – *(Pause)* wenn sie mit ihm sich verstünde? Wenn es das alltägliche Possenspiel wäre?

---

[1] ein Ort für die Tugend

Wenn sie es nicht wert wäre, was ich für sie tun will? –
(Pause.) Für sie tun will? Was will ich denn für sie tun? –
Hab ich das Herz, es mir zu sagen? – Da denk ich so was:
So was, was sich nur denken lässt. – Grässlich! Fort, fort!
5   Ich will sie nicht erwarten. Nein! – *(Gegen den Himmel.)*
Wer sie unschuldig in diesen Abgrund gestürzt hat, der zie-
he sie wieder heraus. Was braucht er meine Hand dazu?
Fort! *(Er will gehen und sieht Emilien kommen.)* Zu
spät! Ah! er will meine Hand, er will sie!

Siebenter Auftritt

Emilia. Odoardo.

10 EMILIA. Wie? Sie hier, mein Vater? – Und nur Sie? – Und
meine Mutter? nicht hier? – Und der Graf? nicht hier? –
Und Sie so unruhig, mein Vater?

ODOARDO. Und du so ruhig, meine Tochter? –

EMILIA. Warum nicht, mein Vater? – Entweder ist nichts ver-
15   loren: oder alles. Ruhig sein können und ruhig sein müssen: kömmt es nicht auf eines?

ODOARDO. Aber, was meinest du, dass der Fall ist?

EMILIA. Dass alles verloren ist – und dass wir wohl ruhig sein
müssen, mein Vater.

20 ODOARDO. Und du wärest ruhig, weil du ruhig sein musst? –
Wer bist du? Ein Mädchen? und meine Tochter? So sollte
der Mann und der Vater sich wohl vor dir schämen? –
Aber lass doch hören: was nennest du, alles verloren? –
Dass der Graf tot ist?

25 EMILIA. Und warum er tot ist! Warum! Ha, so ist es wahr,
mein Vater? So ist sie wahr, die ganze schreckliche Geschichte, die ich in dem nassen und wilden Auge meiner
Mutter las? – Wo ist meine Mutter? Wo ist sie hin, mein
Vater?

30 ODOARDO. Voraus – wenn wir anders ihr nachkommen.

EMILIA. Je eher, je besser. Denn wenn der Graf tot ist, wenn
er darum tot ist – darum! was verweilen wir noch hier?
Lassen Sie uns fliehen, mein Vater!

ODOARDO. Fliehen? – Was hätt es dann für Not? – Du bist,
35   du bleibst in den Händen deines Räubers.

EMILIA. Ich bleibe in seinen Händen?

ODOARDO. Und allein, ohne deine Mutter, ohne mich.

EMILIA. Ich allein in seinen Händen? – Nimmermehr, mein
Vater. – Oder Sie sind nicht mein Vater. – Ich allein in seinen Händen? – Gut, lassen Sie mich nur, lassen Sie mich
nur. – Ich will doch sehn, wer mich hält – wer mich zwingt
– wer der Mensch ist, der einen Menschen zwingen kann.

ODOARDO. Ich meine, du bist ruhig, mein Kind.

EMILIA. Das bin ich. Aber was nennen Sie ruhig sein? Die
Hände in den Schoß legen? Leiden, was man nicht sollte?
Dulden, was man nicht dürfte?

ODOARDO. Ha! wenn du so denkest! – Lass dich umarmen,
meine Tochter! – Ich hab es immer gesagt, das Weib wollte die Natur zu ihrem Meisterstücke machen. Aber sie ver-
griff sich im Tone[1], sie nahm ihn zu fein. Sonst ist alles
besser an euch als an uns. – Ha, wenn das deine Ruhe ist,
so habe ich meine in ihr wieder gefunden! Lass dich umarmen, meine Tochter! – Denke nur: unter dem Gewande einer gerichtlichen Untersuchung – o des höllischen Gaukel-
spieles![2] – reißt er dich aus unsern Armen und bringt dich
zur Grimaldi.

EMILIA. Reißt mich? bringt mich? – Will mich reißen, will
mich bringen: will! will! – Als ob wir, wir keinen Willen hätten, mein Vater!

ODOARDO. Ich ward auch so wütend, dass ich schon nach
diesem Dolche griff *(ihn herausziehend)*, um einem von
beiden – beiden! – das Herz zu durchstoßen.

EMILIA. Um des Himmels willen nicht, mein Vater! – Dieses
Leben ist alles, was die Lasterhaften haben. – Mir, mein
Vater, mir geben Sie diesen Dolch.

ODOARDO. Kind, es ist keine Haarnadel.

EMILIA. So werde die Haarnadel zum Dolche! – Gleichviel.

ODOARDO. Was? Dahin wäre es gekommen? Nicht doch;
nicht doch! Besinne dich. – Auch du hast nur *ein* Leben
zu verlieren.

EMILIA. Und nur *eine* Unschuld!

ODOARDO. Die über alle Gewalt erhaben ist. –

---

[1] Lehm, Materie
[2] Vortäuschung, falsches Spiel

EMILIA. Aber nicht über alle Verführung.– Gewalt! Gewalt! wer kann der Gewalt nicht trotzen? Was Gewalt heißt, ist nichts: Verführung ist die wahre Gewalt. – Ich habe Blut, mein Vater, so jugendliches, so warmes Blut als eine. Auch

5   meine Sinne sind Sinne. Ich stehe für nichts. Ich bin für nichts gut. Ich kenne das Haus der Grimaldi. Es ist das Haus der Freude. Eine Stunde da, unter den Augen meiner Mutter – und es erhob sich so mancher Tumult in meiner Seele, den die strengsten Übungen der Religion kaum

10   in Wochen besänftigen konnten! – Der Religion! Und welcher Religion? – Nichts Schlimmers zu vermeiden[1], sprangen Tausende in die Fluten und sind Heilige! – Geben Sie mir, mein Vater, geben Sie mir diesen Dolch.

ODOARDO. Und wenn du ihn kenntest, diesen Dolch! –

15   EMILIA. Wenn ich ihn auch nicht kenne! – Ein unbekannter Freund ist auch ein Freund. – Geben Sie mir ihn, mein Vater, geben Sie mir ihn.

ODOARDO. Wenn ich dir ihn nun gebe – da! *(Gibt ihr ihn.)*

EMILIA. Und da! *(Im Begriffe, sich damit zu durchstoßen,*

20   *reißt der Vater ihr ihn wieder aus der Hand.)*

ODOARDO. Sieh, wie rasch! – Nein, das ist nicht für deine Hand.

EMILIA. Es ist wahr, mit einer Haarnadel soll ich – *(Sie fährt mit der Hand nach dem Haare, eine zu suchen, und be-*

25   *kommt die Rose zu fassen.)* Du noch hier? – Herunter mit dir! Du gehörest nicht in das Haar einer – wie mein Vater will, dass ich werden soll!

ODOARDO. Oh, meine Tochter! –

EMILIA. Oh, mein Vater, wenn ich Sie erriete! – Doch nein,

30   das wollen Sie auch nicht. Warum zauderten Sie sonst? – *(In einem bittern Tone, während dass sie die Rose zerpflückt.)* Ehedem wohl gab es einen Vater[2], der seine Tochter von der Schande zu retten, ihr den ersten, den besten Stahl in das Herz senkte – ihr zum zweiten Male das Leben gab. Aber alle solche Taten sind von ehedem!

35   Solcher Väter gibt es keinen mehr!

ODOARDO. Doch, meine Tochter, doch! *(Indem er sie*

---

[1]   um Schlimmeres zu vermeiden
[2]   Hinweis auf die von Livius berichtete Virginia-Geschichte

durchsticht.) – Gott, was habe ich getan! *(Sie will sinken
und er fasst sie in seine Arme.)*
EMILIA. Eine Rose gebrochen, ehe der Sturm sie entblättert.
– Lassen Sie mich sie küssen, diese väterliche Hand.

Achter Auftritt

Der Prinz. Marinelli. Die Vorigen.

5 DER PRINZ *(im Hereintreten)*. Was ist das? – Ist Emilien
nicht wohl?
ODOARDO. Sehr wohl, sehr wohl!
DER PRINZ *(indem er näher kömmt)*. Was seh ich? – Entsetzen!
10 MARINELLI. Weh mir!
DER PRINZ. Grausamer Vater, was haben Sie getan?
ODOARDO. Eine Rose gebrochen, ehe der Sturm sie entblättert. – War es nicht so, meine Tochter?
EMILIA. Nicht Sie, mein Vater – Ich selbst – ich selbst –
15 ODOARDO. Nicht du, meine Tochter – nicht du! – Gehe mit
keiner Unwahrheit aus der Welt. Nicht du, meine Tochter!
Dein Vater, dein unglücklicher Vater!
EMILIA. Ah – mein Vater – *(Sie stirbt, und er legt sie sanft
auf den Boden.)*
20 ODOARDO. Zieh hin! – Nun da, Prinz! Gefällt sie Ihnen
noch? Reizt sie noch Ihre Lüste? Noch, in diesem Blute,
das wider Sie um Rache schreiet? *(Nach einer Pause.)*
Aber Sie erwarten, wo das alles hinaus soll? Sie erwarten
vielleicht, dass ich den Stahl wider mich selbst kehren wer-
25 de, um meine Tat wie eine schale Tragödie zu beschlie-
ßen? – Sie irren sich. Hier! *(Indem er ihm den Dolch vor
die Füße wirft.)* Hier liegt er, der blutige Zeuge meines
Verbrechens! Ich gehe und liefere mich selbst in das Gefängnis. Ich gehe und erwarte Sie als Richter – Und dann
30 dort – erwarte ich Sie vor dem Richter unser aller!
DER PRINZ *(nach einigem Stillschweigen, unter welchem
er den Körper mit Entsetzen und Verzweiflung betrachtet, zu Marinelli)*. Hier! heb ihn auf. – Nun? Du bedenkst
dich? – Elender! – *(Indem er ihm den Dolch aus der
35 Hand reißt.)* Nein, dein Blut soll mit diesem Blute sich

nicht mischen. – Geh, dich auf ewig zu verbergen! – Geh! sag ich. – Gott! Gott! – Ist es, zum Unglücke so mancher, nicht genug, dass Fürsten Menschen sind: müssen sich auch noch Teufel in ihren Freund verstellen?

Anhang

1. Die Entstehung der bürgerlichen Gesellschaft in Deutschland – ein Epochenprofil

Heinrich Biermann, Bernd Schurf: Das Zeitalter der bürgerlichen Revolution (1730–1848): Von der Aufklärung bis zum Vormärz

Das zentrale Ereignis dieser Epoche war die *Französische Revolution,* die 1789 ausbrach. Sie hatte nachhaltige Wirkungen auf Deutschland, wo sie von vielen bürgerlichen Intellektuellen zunächst begeistert begrüßt wurde. Zumindest zeitweilig schuf sie eine Verunsicherung der absolutis- 5
tisch regierenden Fürsten, deren Heere zunächst von den Volkstruppen der Revolution und dann von Napoleons Armeen geschlagen wurden. Zur bürgerlich-demokratischen Umwälzung, wie sie in Frankreich in den Epochen 1789, 1830 (Julirevolution) und 1848 (Februarrevolution) gelang, 10
kam es in Deutschland indessen nicht, der späte Versuch 1848/49 scheiterte.

Das deutsche Bürgertum, zerrissen durch die Vielzahl der Klein- und Kleinststaaten territorialer Fürstentümer, in Kapitalbildung und technisch-industrieller Produktionswei- 15
se gegenüber seinen Standesgenossen in England und Frankreich zurückgeblieben, fand nicht die Kraft zum politischen Umsturz. Die Revolution in Deutschland spielte sich vor allem auf dem Papier ab, blieb auf Philosophie und Literatur beschränkt. 20

Wie alle historischen Krisenzeiten lösten auch die Jahre um 1800 eine außerordentlich gesteigerte geistige Produktion aus. Verschiedene literarische Strömungen lösten in kurzer Folge einander ab bzw. bestanden nebeneinander und befehdeten sich; doch waren sie alle von einer Bewe- 25
gung bestimmt: vom Aufbruch in eine bürgerliche Gesellschaft. Dies begann mit der Verbreitung der Ideen der Auf-

klärung, verschärfte sich in den Schriften des Sturm und Drang und setzte sich fort in den zum Teil sehr unterschiedlich ausgerichteten Gruppierungen von Klassik, Romantik und Vormärz.

5 Dem Standesdünkel des Adels, der in der Welt des französischen Königshofs von Versailles sein gesellschaftliches Ideal sah, setzte das städtische Bürgertum seinen eigenen Welt-, Gesellschafts- und Lebensentwurf entgegen. Nicht durch Herkunft und Geblüt ererbte Privilegien ma-
10 chen für den Bürger den Wert des Menschen aus; er entwickelt sein modernes Ich-Bewusstsein als selbstbestimmtes Subjekt aus der Entfaltung seiner intellektuellen, psychischen und physischen Fähigkeiten. Vom Individuum der Aufklärung, das sich seines eigenen Verstandes zu bedienen
15 wagt, über das Genie des Sturm und Drang und die allseitig gebildete Persönlichkeit der Klassik bis zum hochstilisierten Ich der Romanik lässt sich dies neue Bewusstsein verfolgen. Dazu gehört auch ein moralisches Überlegenheitsgefühl gegenüber dem Adel. Das freie Ich des von Natur aus guten
20 Menschen kann und wird überall die Tugenden üben und unterscheidet sich darin von dem durch widernatürliche Zwänge deformierten Höfling, dessen Lasterhaftigkeit die bürgerlichen Schriftsteller immer wieder anprangern.

Eine weitere Leitidee ist die Befreiung der Natur. Sie wird
25 nicht mehr als Werkzeug Gottes in seinem Heilsplan gesehen, das heißt, ihre Erscheinungen und Ereignisse werden nicht als Symbol für heilsgeschichtliche Vorgänge verstanden bzw. als Mittel der Strafe und Belohnung eines persönlichen Gottes. Sie erscheint auch nicht mehr als Herr-
30 schaftsraum und Kulisse fürstlicher Macht, wie der barocke Garten, sondern sie wird in ihrer Eigenständigkeit und Eigengesetzlichkeit aufgefasst. Sie nachzuahmen ist der Grundgedanke aller künstlerischen Tätigkeit.

Freiheit und Autonomie gelten auch für die Literatur. Sie
35 soll in keinem Dienst mehr stehen, weder in dem des Fürsten noch in dem der Kirche. Sie wendet sich nicht an einen bestimmten Stand oder an eine begrenzte Gemeinde, sondern prinzipiell an alle Menschen, und sie fühlt sich nicht mehr gebunden an tradierte Normen und Regeln. Kunst
40 wird nicht länger als der von „Können" abgeleitete Begriff

für die möglichst vollendete Beherrschung vorgegebener Formen verstanden, sondern ist der angemessene und wirkungsvolle Ausdruck der Botschaft des Künstlerindividuums. Neue Ausdrucksweisen und Formmöglichkeiten entwickeln sich damit in unübersehbarer Vielfalt. Literarische Qualität bestimmt sich nicht mehr nach den Vorschriften von Poetiken (Lehrbüchern der Poesie), sondern nach der Wirkung auf den Leser, die durch das Zusammenspiel von Inhalt und Form erreicht wird.

Dieser Leser ist freilich vorerst nur der wohlhabende und gebildete Bürger der Stadt. Nur 25% der Bevölkerung können um 1800 lesen, eine Zahl, die aber dank der allgemeinen Schulpflicht stetig wächst. Die Existenz eines freien Schriftstellers ist auf dieser Basis noch nicht möglich. Die literarische Produktion der Autoren wird häufig erheblich eingeschränkt durch die Anforderungen eines neben dem Schreiben ausgeübten bürgerlichen Berufs, ganz zu schweigen davon, dass sie noch der Repression der Zensur unterworfen ist, die in unterschiedlichen Formen in den einzelnen deutschen Territorien angewandt wird.

Hatten Frauen als Leserinnen von Belletristik seit dem Mittelalter einen wesentlichen Anteil an dem sich entwickelnden literarischen Leben, so traten sie jetzt auch als Vermittlerinnen und Produzentinnen von Literatur hervor. In den Lese- und Gesprächszirkeln der sogenannten Salons intellektueller Bürgerinnen trafen sich Philosophen, Künstler, Literaten und Verleger, und einzelnen Frauen gelang es auch, als Autorinnen an die Öffentlichkeit zu kommen: Mit der „Geschichte des Fräuleins von Sternheim" der Sophie von La Roche erscheint 1771 der erste bedeutende Frauenroman. Rahel Varnhagen, Karoline von Günderode, Bettina von Arnim und andere mehr publizieren Gedichtanthologien, Briefsammlungen, Reisebilder und sozialkritische Schriften. Engagierte Schriftstellerinnen des Vormärz bringen zum ersten Mal die Frauenfrage, d.h. die Frage nach der Emanzipation der Frau, auf die Tagesordnung der literarischen Öffentlichkeit.

Aus: Biermann, Heinrich; Schurf, Bernd (Hrsg.): Texte, Themen und Strukturen. Düsseldorf: Cornelsen Verlag 1990, S. 107f.

Zeichnung: Rainer Ehrt

2. Biografische Bezüge

Gotthold Ephraim Lessing: Ich

Ich
Die Ehre hat mich nicht gesucht;
Sie hätte mich auch nie gefunden.
Wählt man, in zugezählten Stunden,
Ein prächtig Feierkleid zur Flucht?

Auch Schätze hab ich nie begehrt.
Was hilft es, sie auf kurzen Wegen
Für Diebe mehr als sich zu hegen,
Wo man das Wenigste verzehrt?

Wie lange währts, so bin ich hin,
Und einer Nachwelt unter den Füßen?
Was braucht sie wen sie tritt zu wissen?
Weiß ich nur wer ich bin.

Aus: Gotthold Ephraim Lessing: Sämtliche Schriften, hrsg. von Karl Lachmann.
Band 1. Stuttgart 1886, S. 131

Gotthold Ephraim Lessing:
Über die Wahrheit (1778)

Ein Mann, der Unwahrheit unter entgegengesetzter Über-
zeugung in guter Absicht ebenso scharfsinnig als beschei-
den durchzusetzen sucht, ist unendlich mehr wert als ein
Mann, der die beste, edelste Wahrheit aus Vorteil, mit Ver-
schreiung seiner Gegner, auf alltägliche Weise verteidiget.   5
Will es denn *eine* Klasse von Leuten nie lernen, dass es
schlechterdings nicht wahr ist, dass jemals ein Mensch wissentlich und vorsätzlich sich selbst verblendet habe? Es ist
nicht wahr, sag ich; aus keinem geringern Grunde, als weil
es nicht möglich ist. Was wollen sie denn also mit ihrem   10
Vorwurfe mutwilliger Verstockung, geflissentlicher Verhär-
tung, mit Vorbedacht gemachter Plane, Lügen auszustaffie-
ren, die man Lügen zu sein weiß? Was wollen sie damit?
Was anderes, als – – Nein; weil ich *auch ihnen* diese Wahr-

heit muss zugute kommen lassen: weil ich auch von *ihnen* glauben muss, dass sie vorsätzlich und wissentlich kein falsches verleumderisches Urteil fällen können: so schweige ich und enthalte mich alles Widerscheltens. Nicht die
5 Wahrheit, in deren Besitz irgendein Mensch ist oder zu sein vermeinet, sondern die aufrichtige Mühe, die er angewandt hat, hinter die Wahrheit zu kommen, macht den Wert des Menschen. Denn nicht durch den Besitz, sondern durch die Nachforschung der Wahrheit erweitern
10 sich seine Kräfte, worin allein seine immer wachsende Vollkommenheit bestehe. Der Besitz macht ruhig, träge, stolz –

Wenn Gott in seiner Rechten alle Wahrheit und in seiner Linken den einzigen immer regen Trieb nach Wahrheit, ob-
15 schon mit dem Zusatze, mich immer und ewig zu irren, verschlossen hielte und spräche zu mir: wähle! Ich fiele ihm mit Demut in seine Linke und sagte: Vater gib! Die reine Wahrheit ist ja doch nur für dich allein!

Aus: Ehrhard Bahr (Hrsg.): Was ist Aufklärung? Thesen und Definitionen. Stuttgart: Reclam 1974, S. 43

Michael Fuchs:
Gotthold Ephraim Lessing – eine Kurzbiografie

1729   Geburt Lessings in Kamenz/Oberlausitz als
            Sohn des protestantischen Pfarrers Johann
            Gottfried Lessing und der Pfarrerstochter
            Justine Salome Lessing. Er ist das dritte von
            zwölf Kindern, von denen aber nur sieben
            über das erste Lebensjahr hinauskommen.
            Er ist der älteste überlebende Sohn.
            Zunächst Hausunterricht bei seinem Vater,
            dann Besuch der Lateinschule in Kamenz.
            Lessing soll nach dem Willen der Eltern
            Pfarrer werden.

1740   Geburt des Bruders Karl Gotthelf, der spä-
            ter eine Biografie seines Bruders verfassen
            wird.

1741 – 46   Besuch der Fürstenschule St. Afra in Meißen.
            Erste schriftstellerische Versuche.

1746   Wegen guter Leistungen vorzeitige Entlas-
            sung aus der Schule. Beginn des Studiums
            der Theologie in Leipzig, aber hauptsächlich
            Beschäftigung mit Theater und Theaterkunst.

1748   Aufführung seines Lustspiels *Der junge Ge-
            lehrte* durch die Theatergruppe von C.
            Neuber. Kurzzeitig Medizinstudium in Wit-
            tenberg, dann Umzug nach Berlin, um Gläu-
            bigern in Leipzig zu entkommen.

1748 – 56   Veröffentlichung vieler Rezensionen wissen-
            schaftlicher und literarischer Neuerscheinun-
            gen. Freundschaft mit bedeutenden Autoren
            seiner Zeit, u. a. Ewald von Kleist, Moses
            Mendelssohn und Friedrich Nicolai. Abfassung
            weiterer Theaterstücke: *Die Juden, Samuel
            Henzi.* Weiterhin: *Beyträge zur Historie und Auf-
            nahme des Theaters.*

Gotthold Ephraim Lessing. Gemälde von Georg Oswald May

1752	Abschluss des Medizinstudiums mit einer Magisterarbeit zur Biografie des Mediziners Juan Huartes.
1753	*Fabeln und Erzählungen.*
1755	Niederschrift und Uraufführung des bürgerlichen Trauerspiels *Miss Sara Sampson.* Intensive Freundschaft und Briefwechsel mit dem jüdischen Philosophen Moses Mendelssohn und dem Verleger und Literaturkritiker Friedrich Nicolai.
1756	Anstellung als Begleiter eines jungen Leipziger Kaufmanns auf einer Weltreise. Abbruch dieser Reise in Amsterdam wegen Ausbruchs des Siebenjährigen Krieges. Siebenjähriger Prozess, um das versprochene Entgelt für die Reisebegleitung zu erhalten. Ständige Geldnöte.
1758	Arbeit am Fragment gebliebenen *Faust*-Drama.
1759	Abfassung der Prosa-Tragödie Philotas und der Abhandlungen über die Fabel. *Briefe, die neueste Litteratur betreffend.*
1760 – 65	Anstellung als Sekretär des Generalgouverneurs von Schlesien, General von Tauentzien.
1765 – 67	Aufenthalt in Berlin; eine Bewerbung um die Leitung der Königlichen Bibliothek wird von Friedrich II. abgewiesen.
1766	Abhandlung *Laokoon oder Über die Grenzen der Malerei und Poesie.*
1767	Wechsel nach Hamburg, Übernahme der Stelle eines Dramaturgen am neu gegründeten Nationaltheater. Uraufführung der Komödie *Minna von Barnhelm oder das Soldatenglück.*
1767 – 69	*Hamburgische Dramaturgie:* Sammlung von 52 Theaterkritiken.
1768	Schließung des Nationaltheaters wegen mangelnden Publikumsinteresses; ein mit Freunden gegründetes Verlagsunternehmen scheitert; finanzielle Schwierigkeiten.
1770 – 81	Bibliothekar an der berühmten Hofbibliothek des Braunschweiger Herzogs in Wolfenbüttel.

1771	Verlobung mit Eva König, einer Hamburger Kaufmannswitwe; die Hochzeit muss wegen des geringen Gehalts zunächst aufgeschoben werden. Mitgliedschaft bei den Freimaurern.
1772	Uraufführung des bürgerlichen Trauerspiels *Emilia Galotti*. Lessing lässt seine Abwesenheit mit Zahnschmerzen entschuldigen.
1775	Unfreiwillige Reise nach Italien mit dem Braunschweiger Prinzen Leopold, dadurch wiederum Aufschub der geplanten Hochzeit.
1776	Heirat mit Eva König.
1777	Geburt eines Sohnes, der am ersten Lebenstag stirbt.
1778	Tod seiner Frau. Religionsstreit mit dem Hamburger Hauptpastor Goeze (*Anti-Goeze. Theologische Kampfschriften*).
1779	Abfassung des dramatischen Gedichts *Nathan der Weise*.
1780	*Ernst und Falk. Gespräche für Freimaurer*. Abfassung des geschichtsphilosophischen Werks *Die Erziehung des Menschengeschlechts*.
15.2.1781	Tod Lessings in Braunschweig.

Lessings Lebenstraum war es, als freier Schriftsteller arbeiten zu können. Er wollte „niemands Herr noch Knecht" sein. Doch alle seine Pläne sind gescheitert (das Hamburger Projekt, ein Nationaltheater zu gründen; der Versuch, einen selbstständigen Verlag zu unterhalten), sodass er am Ende die schlecht bezahlte Stellung eines Bibliothekars in Wolfenbüttel annehmen muss. Sein mit Freuden erwartetes Kind stirbt am ersten Lebenstag, seine geliebte Frau zehn Tage später. An seinen Freund Theodor Eschenburg schreibt er:

Mein lieber Eschenburg,
Ich ergreife den Augenblick, da meine Frau ganz ohne Besinnung liegt, um Ihnen für Ihren gütigen Anteil zu danken. Meine Freude war nur kurz: Und ich verlor ihn so ungern, diesen Sohn! denn er hatte so viel Verstand! so viel Verstand! — Glauben Sie nicht, dass

die wenigen Stunden meiner Vaterschaft mich schon so zu einem Affen von Vater gemacht haben! Ich weiß, was ich sage. – War es nicht Verstand, dass man ihn mit eisernen Zangen auf die Welt ziehen musste? dass er so bald Unrath merkte? – War es nicht Verstand, dass er die erste Gelegenheit ergriff, sich wieder davonzumachen? – Freilich zerrt mir der kleine Ruschelkopf auch die Mutter mit fort! – Denn es ist noch wenig Hoffnung, dass ich sie behalten werde. –
Ich wollte es auch einmal so gut haben wie andere Menschen. Aber es ist mir schlecht bekommen.

Lessing

Literatur:
- Hildebrandt, Dieter: Lessing. Eine Biographie. Reinbek: Rowohlt, 1990
- Drews, Wolfgang: Gotthold Ephraim Lessing. Mit Selbstzeugnissen und Bilddokumenten. Reinbek: Rowohlt, 1991
- Harth, Dietrich: Gotthold Ephraim Lessing oder die Paradoxien der Selbsterkenntnis. München: Beck, 1993

Helmut Göbel:
Lessing in Wolfenbüttel: 1770 – 1781

Der Erbprinz Karl Wihelm Ferdinand von Braunschweig holt Lessing 1770 als Leiter der Bibliothek in die Kleinstadt Wolfenbüttel.

Von nun an unterstanden Lessing ein Sekretär, ein Bibliotheksdiener und weit mehr als 100 000 Bücher, Handschriften und Drucke. Er selbst war dem Geheimen Rat, Kanzlei- und Konsistorialpräsidenten von Praun untergeordnet, der die Verwaltung des alten Herzogs Karl 1. we- 5 sentlich bestimmte. Besonders zugetan war ihm zu Beginn seiner Arbeit in Wolfenbüttel der Erbprinz Karl Wilhelm Ferdinand, der 1780 Herzog wurde und schon ab 1770 politisch mitentschied.
Wolfenbüttel hatte zur Zeit von Lessings Amtsantritt an 10 Bedeutung verloren. Braunschweig war sieben Jahre zuvor Residenzstadt geworden, die Hofhaltung mit Handwerkern und Kaufleuten, die gelehrte Schule, die wichtige Waisen-

Herzog Karl Wilhelm Ferdinand von Braunschweig, 1735–1806

hausbuchhandlung waren also knapp zwanzig Kilometer
entfernt. In Wolfenbüttel lebten 5 000 Einwohner, unter ihnen die Angehörigen einiger kichlicher und juristischer Be-
hörden des Landes, die den kritischen Gelehrten und Auf-
5 klärer als Störenfried betrachteten. Mit ihnen allerdings
wollte der bis dahin an geselliges Leben und das Gespräch
gewöhnte Lessing auch nicht viel zu tun zu haben. So war
er auf Besuche angewiesen oder er musste sich selbst auf
den Weg machen, um lebendigere Gesellschaft, als es

Bücher sind, zu finden. In holpriger ununterbrochener Kutschenfahrt konnte er in rund 36 Stunden in Hamburg sein; in dieser Zeit fährt heute die Bahn von der Ostsee zur Adria. Der Bibliothekar Lessing erhielt in Wolfenbüttel anfangs 600 Taler jährlich. Davon lebte er, zahlte seine rest- 5 lichen Hamburger Schulden ab und unterstützte seine Schwester und die 1770 verwitwete Mutter mit 50 Talern im Jahr. Die geltenden historischen, theologiekritischen und dichterischen Arbeiten brachten zusätzliche Einnah- men. Von ihnen und von einer neuen Ausgabe seiner ge- 10 sammelten Werke erhoffte er sich so viel, dass er den Ber- liner Verleger Voß um Geld bitten konnte, das er mit 200 Talern jährlich zu begleichen beabsichtigte. Glücklos ver- suchte er sich immer wieder im Hamburger oder Braun- schweiger Lotteriespiel. Nach mehrmaligen Gehaltsvor- 15 schüssen und nach einem Angebot vom Erbprinzen, zum Bibliothekariat eine Hofratsstelle dazubekommen, welche die „Geschichte und die Rechte des Hauses" Braun- schweig betreffen sollte – der Erbprinz kam nie mehr darauf zurück und Lessing wartete vergeblich –, gingen An- 20 gebote aus Wien und Mannheim ein, zu denen sich Lessing abwartend verhielt, mit denen sich jedoch erhebliche finanzielle Verbesserungen hätten ergeben können. Er for- derte in Wien 2000 Taler Gehalt, eben das, was der Leiter der Königlichen Bibliothek, des Münz- und Antikenkabi- 25 netts, jährlich bekam. Schließlich blieb Lessing aber in Wolfenbüttel, nachdem er sich in Wien und Mannheim umgesehen hatte. Die erste indirekte Bitte um Gehaltser- höhung übermittelte Lessing dem Herzog schon 1772. In seinem in Wolfenbüttel fertiggestellten Trauerspiel „Emilia 30 Galotti" tritt im ersten Akt dem launisch und willkürlich über Tod und Leben verfügenden Prinzen ein Maler gegen- über, der auf die Frage, was die Kunst machte, antwortet: „Prinz, die Kunst geht nach Brot." Der Prinz antwortet: „Das muss sie nicht; das soll sie nicht, – in meinem kleinen 35 Gebiete gewiss nicht..."
Das Theaterstück schrieb Lessing absichtlich so fertig, dass es zum Geburtstag der Herzogin Philippe Charlotte am 13. März 1772 in Braunschweig aufgeführt werden konnte. Später besserte man sein Gehalt erheblich auf. In den letz- 40

ten Jahren verdiente er um fünfzig Prozent mehr und bekam zusätzlich Brennholz. Der Hofrattitel brachte nichts ein. Lessing nahm ihn an, um dem alten Herzog gegenüber nicht undankbar zu erscheinen.

Aus: Lessings Nathan. Hrsg. von Helmut Göbel. Verlag Klaus Wagenbach. Berlin 1993, S. 38-40

Über seine Stellung zum Hof und über seine Lebensverhältnisse äußert sich Lessing in folgendem Brief:

Gotthold Ephraim Lessing:
Brief an den Vater vom 27.07.1770

Eigentlich ist es der Erbprinz, welcher mich hierher gebracht. Er ließ mich auf gnädigste Art zu sich einladen; und ihm allein habe ich es zu danken, dass die Stelle des Bibliothekars, welche gar nicht leer war, für mich eigentlich leer
5 gemacht ward. Auch der regierende Herzog hat mir hierauf alle Gnade erwiesen, deren ich mich von dem gesamten Hause zu rühmen habe, welches aus den leutseligsten besten Personen von der Welt besteht. Ich bin indes der Mensch nicht, der sich zu ihnen dringen sollte: vielmehr
10 suche ich mich von allem, was Hof heißt, so viel möglich zu entfernen und mich lediglich in den Zirkel meiner Bibliothek einzuschränken.

Die Stelle selbst ist so, als ob sie von jeher für mich gemacht wäre: und ich habe es umso viel weniger zu bedau-
15 ern, dass ich bisher alle anderen Anträge von der Hand gewiesen. Sie ist auch einträglich genug, dass ich gemächlich davon leben kann, wenn ich nur erst wieder auf dem Trockenen, das ist, aus meinen Schulden, sein werde: Sechshundert Taler Gehalt, nebst freier Wohnung und Holz auf
20 dem fürstl. Schlosse.

Das Allerbeste aber dabei ist die Bibliothek, die Ihnen schon dem Ruhme nach bekannt sein muss, die ich aber noch weit vortrefflicher gefunden habe, als ich mir sie jemals eingebildet hätte. Ich kann meine Bücher, die ich aus Not verkaufen müssen, nun sehr wohl vergessen. Ich wünschte in meinem Leben noch das Vergnügen zu haben, Sie hier herumführen zu können, da ich weiß, was für ein großer Liebhaber und Kenner Sie von allen Arten von Bü- 5 chern sind. Eigentliche Amtsgeschäfte habe ich dabei keine andere, als die ich mir selbst machen will. Ich darf mich rühmen, dass der Erbprinz mehr darauf gesehen, dass ich die Bibliothek, als dass die Bibliothek mich nutzen soll. Gewiss werde ich beides zu verhindern suchen: oder eigent- 10 lich zu reden, folget schon eines aus dem anderen.

Aus: Gotthold Ephraim Lessing: Sämtliche Schriften, hrsg. von Karl Lachmann, Band 17. Stuttgart 1986, S. 328ff.

Lessings Verhältnis zum Braunschweiger Hof dokumentiert auch der folgende Brief an Eva König:

Gotthold Ephraim Lessing: Brief an Eva König vom 03.04.1773

Ich möchte rasend werden! Was werden Sie von mir denken? Was müssen Sie von mir denken? Ich schrieb Ihnen vor länger als acht Wochen, dass allhier etwas für mich im Werke sei, was mein künftiges Schicksal auf einmal bestimmen werde, und hoffentlich so bestimmen werde, wie ich 5 es wünsche. Wie ich es aber wünsche, weiß niemand besser als Sie. Ich glaube gewiss, dass keine acht, keine vierzehn Tage vergehen könnten, ohne dass ich Ihnen die völlige Gewissheit von der Sache schreiben konnte. Aber diese vierzehn Tage sind viermal vergangen und Sie haben keine 10 Zeile von mir gesehen. Und wenn ich Ihnen nicht eher wieder schreiben wollte, als bis ich es so kann, wie ich gern wollte: so könnten leicht noch einmal acht Wochen darüber hingehen; und wer weiß, ob ich Ihnen am Ende doch nicht schreiben müsste, dass ich betrogen worden. 15 Möchte ich nur nicht rasend werden! Ohne die geringste Veranlassung von meiner Seite lässt man mich ausdrücklich kommen, tut wer weiß wie schön mit mir, schmiert mir

das Maul voll, und hernach tut man gar nicht, als ob jemals von etwas die Rede gewesen wäre. Ich bin zweimal seitdem wieder in Braunschweig gewesen, habe mich sehen lassen und verlangt zu wissen, woran ich wäre. Aber keine
5 oder doch so gut wie keine Antwort! Nun bin ich wieder hier und habe es verschworen, den Fuß nicht eher wieder nach Braunschweig zu setzen, bis man ebenso von freien Stücken die Sache zu Ende bringe, als man sie angefangen hat. Bringt man sie aber nicht bald zu Ende und lässt man
10 mich erst hier in der Bibliothek und mit gewissen Arbeiten fertigwerden, mit welchen ich nicht anders als in Wolfenbüttel fertigwerden kann und muss, wenn ich nicht alle meine daselbst zugebrachte Zeit verloren haben will: so soll mich sodann auch nichts in der Wahl hierzuhalten
15 vermögend sein. Ich denke überall so viel wiederzufinden, als ich hier verlasse. Und wenn ich es auch nicht wiederfände. Lieber betteln gegangen, als so mit sich handeln lassen!

Aus: Gotthold Ephraim Lessing: Sämtliche Schriften, hrsg. von Karl Lachmann, Band 18. Stuttgart 1986, S. 79ff.

Franz Mehring: Wolfenbüttel und das Herzogtum Braunschweig

Wolfenbüttel war eine Kleinstadt von ein paar tausend Einwohnern, mit einigen melancholischen Überresten ehemaliger Hofherrlichkeit, ungesund gelegen, ohne alle geistigen Anregungen, bis auf die altberühmte Bibliothek selbst.
5 Die paar Bürokraten und Geistlichen, die sich in die Bevölkerung von kleinen Ackerbauern und Handwerkern mischten, waren kaum zu rechnen. Zum Mindesten nicht für Lessing, dessen Ansprüche an Menschen- und Weltverkehr selbst in Städten wie Breslau, Berlin, Hamburg nicht be-
10 friedigt worden waren und nun in Wolfenbüttel die grausamste Enttäuschung erfuhren. Im „Laokoon" hatte er es einen „Großen vortrefflichen Sinn" genannt, wenn dem Philoktet des Sophokles die Gesellschaft von Bösewichten lieber gewesen wäre als gar keine; nun schreibt er an
15 Gleim: „Besser ist unter noch so bösen Menschen leben

als fern von allen Menschen. Besser ist, sich vom Sturm in den ersten besten Hafen werfen lassen, als in einer Meerstille mitten auf der See verschmachten." Seine Briefe an Eva König und seinen Bruder Karl quellen über von ähnlichen wilden Ausbrüchen einer Verzweifelung, deren 5 schärfster Stachel dann freilich von der Hand eines bösen Menschen gespitzt worden war.

Denn das war der Erbprinz Karl Wilhelm Ferdinand von Braunschweig. Er vornehmlich hatte Lessings Übersiedlung nach Wolfenbüttel betrieben, um das braunschweigische 10 Ländchen mit dem Namen des ersten deutschen Schriftstellers zu schmücken. Gerade gebildet genug, um zu verstehen, wer Lessing war, empfand er umso stärker den despotischen Kitzel, den freiesten Geist von Deutschland zu martern. Er war ein Neffe Friedrichs II. und wollte gar 15 gerne dessen Muster, den aufgeklärten Despoten, spielen. So in der jämmerlichen Französelei ertrunken war Friedrich lange nicht, um sich wie der Erbprinz an seiner eigenen Tafel sagen zu lassen: „Seltsam, gnädiger Herr, Sie sind der einzige Fremde unter uns." Und vor allem einer Infa- 20 mie wie des massenhaften Verkaufs von Landeskindern war Friedrich völlig unfähig; gegenüber solchen Schurkereien des deutschen Duodezdespotismus stand der preußische König allerdings in einer Reihe mit den Großen unserer klassischen Literatur. Und kein ärgerer Fleck haftet auf 25 der höfischen Geschichtsschreibung, wie sie heute an den deutschen Bibliotheken und Universitäten ihr unholdes Wesen treibt, als dass sie selbst diesen niederträchtigsten Fürstenfrevel, von dem die Weltgeschichte zu erzählen weiß, zu beschönigen sucht: 30

Dreimal hat der Erbprinz und spätere Herzog Karl Wilhelm Ferdinand seinen Menschenschacher getrieben. Im Jahre 1776 verkaufte er 4300 Mann an England für den Krieg mit den amerikanischen Kolonien, im Jahre 1788 3000 Mann an die niederländischen Generalstaaten, im 35 Jahre 1795 wieder an England 1900 Mann.

Aus: Franz Mehring: Die Lessing-Legende. Frankfurt/M., Berlin, Wien: Ullstein 1972, S. 332-334

3. Die historische Quelle

Die Virginia-Geschichte nach Titus Livius (59 v.-Chr. – 17 n.-Chr.)

Eine historische Quelle für Lessings „Emilia Galotti" stellt die Virginia-Episode dar, die der römische Geschichtsschreiber Titus Livius (59 v. Chr. – 17 n. Chr.) in seinem Werk „Libri ab urbe condita" (III, 44-50) berichtet.

Die Virginia-Geschichte spielt zur Zeit der sogenannten Ständekämpfe 449 v. Chr. Die Patrizier, der römische Stadtadel, vertreten durch die Decemvirn, sehen sich mit den Forderungen nach Mitsprache und Mitregierung durch die bürgerlichen Kräfte (Plebeier) konfrontiert.

Die ältere Übersetzung der lateinischen Vorlage macht die Dramatik und die politischen Folgen der „Schandtat" des Appius Claudius besonders deutlich; ein Volksaufstand stürzt die Decemvirn, Appius bringt sich im Gefängnis um.

44. Eine Schandtat von ganz anderer Art erfolgte in der Stadt, durch Unkeuschheit erzeugt und von gleich scheußlichem Erfolge mit jener, als die Schändung und Entleibung der *Lucretia* die *Tarquinier* aus der Stadt und vom Throne
5 stieß; sodass die Decemvirn[1] nicht allein, so wie die Könige, aufhörten, sondern auch ihre Regierung durch gleiche Veranlassung verloren.

Dem *Appius Claudius*[2] gab die Liebe zu einer Jungfrau vom bürgerlichen Stande den Entschluss, sie zu entehren. Ihr
10 Vater *Lucius Virginius* stand bei dem Heere im *Algius* als einer der Hauptleute vom höheren Range; zu Hause und im Felde ein musterhafter Mann. Eben so war seine Frau erzogen, und so erzogen sie auch ihre Kinder. Die Tochter hatte er dem gewesenen Tribun[3], *Lucius Icilius*, verlobt, einem unternehmenden Manne und um die Partei der Bür-
15

---

[1] Regierung der Decemvirm, der Zehnmänner, die auch über die richterliche Gewalt verfügten.

[2] Appius Claudius war führendes Mitglied der Decemvirm.

[3] Lucius Icilius, der Verlobte der Virginia, war Volkstribun gewesen und vertrat die Interessen der Plebeier.

gerlichen von bewährtem Verdienste. Als *Appius,* der vor
Liebe glühend dies erwachsene, außerordentlich schöne
Mädchen durch Geschenke und Versprechungen zu verfüh-
ren suchte, jeden Zugang durch Keuschheit versperrt sah,
so entschloss er sich zu einer grausamen, alles niedertre- 5
tenden Gewalttat. Seinem Schützlinge, *Marcus Claudius,*
gab er den Auftrag, sich des Mädchens als seiner Sklavin zu
versichern und nicht nachzugeben, wenn man bis zur Ent-
scheidung ihrer Freiheit Aufschub fordere: da die Abwesenheit des Vaters, wie er hoffte, seine Ungerechtigkeit 10
begünstigte. Als das Mädchen auf den Markt kam – denn
dort standen unter den Krambuden auch Schulstuben –
legte der Kuppler des Decemvirs, indem er sie als seine
Sklavin anredete, da sie eine Tochter seiner Sklavin sei,
Hand an sie und befahl ihr, ihm zu folgen; im Weigerungs- 15
falle werde er sie mit Gewalt fortführen. Während das
Mädchen vor Schrecken starrte, entstand auf das Geschrei
ihrer Amme, welche nach Hülfe rief, ein Auflauf. Ihres Vaters *Virginius,* ihres Bräutigams *Icilius* beliebter Name wurde
laut genannt. Alle, die sie kannten, machte das Wohlwollen 20
für jene, und den Haufen der Unwille zu Freuden des Mädchens. Schon war sie vor Gewalt sicher, als der Kläger an-
fing: „Das zusammengelaufene Volk sei hier ganz unnötig.
Er verfahre nach Recht, nicht mit Gewalt." – Er forderte
das Mädchen vor Gericht. Da selbst die, welche sich ihrer 25
annahmen, ihr rieten mitzugehen, so kam man vor des *Appius* Richterstuhl.
Der Kläger sagte seine dem Richter als Erfinder des Stücks
bekannte Rolle auf. Diese in seinem Hause geborene, ihm
gestohlene und dem *Virginius* ins Haus gebrachte Sklavin, 30
sei diesem als Kind untergeschoben.
Seine Aussage gründe sich auf einstimmige Zeugnisse und
er werde sie beweisen, wenn auch *Virginius* selbst Richter
sein sollte, der bei diesem Unrechte am meisten leide.
Bis dahin sei es doch billig, dass die Magd ihrem Herrn fol- 35
ge. Die Verteidiger des Mädchens führten an, *Virginius* sei
im Dienste des Staates abwesend; er werde in zwei Tagen
hier sein, sobald man es ihm sagen ließe; es sei hart, dass
einem Abwesenden seine Kinder streitig gemacht würden;
und verlangten, *Appius* möge die Sache bis zur Ankunft des 40

Vaters unentschieden lassen. Laut des von ihm selbst ge-
gebenen Gesetzes möge er für den Aufschub zugunsten
der Freiheit den Ausspruch tun, und nicht zugeben, dass
eine erwachsene Jungfrau Gefahr laufe, eher ihren guten
5 Namen zu verlieren, als ihre Freiheit.
45. *Appius* leitete seinen Spruch folgendermaßen ein: Wie
sehr er die Freiheit begünstigt habe, beweise selbst das
Gesetz, auf welches sich die Freunde des *Virginius* bei ihrer
Forderung beriefen. Allein die Freiheit finde nur dann in
10 diesem Gesetze sicheren Schutz, wenn es so wenig zugunsten einer Sache als einer Person verdrehet werde.
Was sie verlangten, sei allerdings bei denen Recht, die als
Herren ihrer selbst in ihrer angefochtenen Freiheit einst-
weilen erhalten werden müssten, weil sie als solche sich
15 selbst an das Gesetz halten könnten: Bei einer Person
aber, die noch in väterlicher Gewalt stehe, könne es außer
dem Vater keinen anderen geben, dem der Eigentümer in
der Besitznehmung nachzustellen habe. Er erkenne also
dahin, dass der Vater geholt werden müsse, der Kläger
20 aber unterdessen, um nicht an seinem Rechte zu leiden,
nicht abgehalten werde, das Mädchen mitzunehmen, und
versprechen müsse, sie auf die Auskunft des angeblichen
Vaters zu stellen.
Da ihrer viele gegen die Ungerechtigkeit des Spruches
25 mehr murreten, als dass irgendeiner das Herz gehabt hätte, sich zu widersetzen, so kamen *Publius Numitorius,* des
Mädchens Mutterbruder, und ihr Bräutigam *Icilius* dazu;
und da sich die Menge, die ihnen Platz machte, zum Wi-
derstande gegen den *Appius* das meiste von des *Icilius'* Da-
30 zwischenkunft versprach, so rief der Gerichtsdiener, das
Urteil sei gesprochen, und peitschte den laut werdenden
Icilius weg.
Eine so scheußliche Ungerechtigkeit würde auch den Ge-
lassensten empört haben. „Mit dem *Schwerte*", rief *Icilius*
35 „musst du mich hier wegbringen lassen, *Appius*, wenn dir
das ohne Rüge hingehen soll, was du so gern verheimli-
chen möchtest! Diese Jungfrau will ich heiraten; ich, der
ich sie als eheliches, keusches Weib halten will. Ruf immer-
hin alle Gerichtsdiener, auch die deiner Amtsgenossen,
40 herzu; heiß sie Ruten und Beile zur Hand nehmen: den-

noch soll die Verlobte des *Icilius* nicht außer ihres Vaters Hause bleiben. Habt ihr gleich dem Römischen Bürgerstande die tribucische Hilfe und die Ansprache, diese beiden Bollwerke zur Behauptung seiner Freiheit, genommen; so ist darum eurer Ausgelassenheit noch keine Königsmacht 5 über unsere Kinder und Frauen eingeräumt. Wütet gegen unsere Rücken, gegen unsere Nacken: aber lasset wenigstens die Keuschheit unangetastet. Vergreift man sich an ihr, so rufe *ich* für meine Braut die hier versammelten Quiriten[1], *Virginius* für seine einzige Tochter die Soldaten, und 10 wir alle – Götter und Menschen zum Beistande auf; und ohne uns zu morden, wirst du nimmermehr deinen Ausspruch gültig machen. Ich fordere dich auf, *Appius*, überlege es von allen Seiten, *was* für einen Schritt du tuest. Kommt *Virginius*, so wird er selbst zusehen, wie er für sei- 15 ne Tochter zu sorgen habe. Nur das soll er wissen, dass er sich, falls er sie vorläufig in den Händen dieses Menschen lässt, nach einem anderen Vorschlage für seine Tochter umzusehen habe. Ich aber lasse, die Freiheit meiner Braut zu retten, eher mein Leben schwinden als mein Wort." 20
46. Die Menge war in Bewegung, und alles ließ sich zum Kampfe an. Die Gerichtsdiener hatten den *Icilius* umstellt. Doch blieb es bei Drohungen. Denn *Appius* erklärte, *Icilius* verteidige nicht die *Virginia,* sondern der unruhige Mensch, der noch immer Tribunengewalt atme, suche nur Gelegen- 25 heit zum Aufruhr. Dazu wolle er ihm heute keine Veranlassung geben. Um ihm aber zu zeigen, dass er nicht auf seine Ungezogenheit, sondern auf die Abwesenheit des *Virginius*, auf Vaternamen und Freiheit Rücksicht nehme, wolle er zwar heute kein Recht ergehen lassen, noch einen An- 30 spruch rechtskräftig machen; wolle lieber den *Marcus Claudius* ersuchen, von seinem Rechte abzustehen und es geschehen zu lassen, dass das Mädchen bis zum folgenden Tage in den Händen ihres Verteidigers bleibe. Falls sich aber der Vater am folgenden Tage nicht stelle, so deutete 35 er hiermit dem *Icilius* an, und allen, die dem *Icilius* gleiches Gelichters seien, dass der Geber so wenig sein Gesetz, als der Mut den Decemvir im Stiche lassen werde; und dass

---

[1] Quiriten ist ein anderer Name für „Römer".

er gar nicht gewillet sei, um den Aufrührern zu steuren,
die Gerichtsdiener seiner Amtsgenossen zusammenzuru-
fen: er hoffe mit seinen eignen auszureichen".

Kaum hörten die Beistände des Mädchens den Aufschub
5 der Freveltat, als sie auf die Seite traten und sogleich des
Icilius Bruder und des *Numitorius* Sohn, zwei rasche Jünglinge, auffordern, geradezu von hier sich zum Tore hinauszu-
machen, damit so geschwind als möglich *Virginius* aus dem
Lager geholt werde. (...)

10 *Appius,* der noch eine Weile wartete, damit es nicht so
scheinen sollte, als habe er bloß dieser Sache wegen die
Sitzung gehalten, begab sich endlich, weil niemand vortrat
– denn aus Teilnahme für diese einzige Sache setzte man alles Übrige zurück – nach Hause und schrieb seinen Amts-
15 genossen ins Lager, sie möchten dem *Virginius* keinen Ur-
laub geben, sondern vielmehr verhaften. Dieser gottlose
Anschlag kam, wie er musste, zu spät. Und *Virginius* war
schon nach erhaltenem Urlaube um die erste Nachtwache
abgegangen, als am folgenden Morgen der Brief mit dem
20 Auftrage, ihn festzuhalten, vergeblich eingeliefert wurde.

47. In der Stadt geleitete am frühen Morgen, als die Bürger
von Erwartung gespannt schon auf dem Markte standen,
Virginius im Anzuge eines Beklagten, seine Tochter, ebenfalls
in veraltetem Kleide, auf dem Markt, mit einem Gefolge
25 von mehreren Frauen und vielen Hülfswilligen. Hier ging er
bei den Leuten herum, drückte ihnen die Hand und sprach
sie um ihren Beistand an, den er sich nicht bloß erbitte,
sondern der ihm gebühre. Für ihre Kinder und Gattinen
stehe er täglich in der Schlachtordnung, und der Mann
30 müsse noch aufstehen, der sich im Felde mehrerer Beweise der Brauchbarkeit und Tapferkeit rühmen könne. Was
ihm das alles helfe, wenn seine Kinder mitten im Glücke
Roms Behandlungen zu leiden haben sollten, die sie, wenn
es von Feinden erobert wäre, als das Härteste fürchten
35 könnten". So ging er, als hielte er einen zusammenhängen-
den Vortrag, von Mann zu Mann. Ähnliche Reden führte
Icilius. Aber mehr als alle Sprache rührte das weibliche Gefolge durch seine schweigenden Tränen.

Gegen dies alles verhärtet bestieg *Appius* (so sehr hatte –
40 die Tollheit, möchte man eher sagen, als – die Liebe, sei-

nen Verstand verrückt) den Richterstuhl; und da der Kläger ganz kurz sich sogar beschwerte, dass man ihm gestern, um sich gefällig zu machen, sein Recht vorenthalten
habe, so nahm schon, ohne jenen sein Gesuch zu Ende
bringen zu lassen, oder dem *Virginius* Zeit zur Gegenrede 5
zu gestatten, *Appius* das Wort. Es kann sein, dass uns ältere
Geschichtsschreiber die Erörterung, die er seinem Aus-
spruche zum Gewande gab, der Wahrheit gemäß überlie-
fert haben. Weil ich aber nirgend eine finde, die einer so
abscheulichen Sprache nur eine erträgliche Wahrschein- 10
lichkeit gäbe, so wird es am besten sein, das, worin alle
übereinkommen, ohne Hülle darzulegen, dass er dem Kläger das Recht zugesprochen habe, sich seiner Sklavin zu
bemächtigen.
Anfangs waren alle vor Staunen über das Unbegreifliche ei- 15
ner solchen Scheußlichkeit erstarret, und es erfolgte eine
tiefe Stille. Als aber *Marcus Claudius* hinging, das von Frau-
en umringte Mädchen zu greifen, und mit einem kläglichen
Geheule der Weiber empfangen wurde, so rief *Virginius* mit
gegen den *Appius* emporgetreckten Händen: „*Appius!* dem 20
Icilius habe ich meine Tochter versprochen, nicht dir! und
erzogen habe ich sie zur Ehe, nicht zur Schändung! Machst
du das zur Sitte, dass man wie das Vieh, wie das Wild,
über alles, was weiblich ist, wollustig herfällt? Ob man dir
das *hier* gestatten werde, weiß ich nicht; doch hoffe ich, 25
dass es *die* nicht dulden sollen, welche Waffen in den Händen haben." Während den verfolgten Kläger der Haufe
von Weibern und umherstehenden Freunden zurückstieß,
ward durch den Herold Stille geboten.
48. Der Decemvir, außer für die Eingebungen der Wollust 30
taub gegen alles, fing an: „Nicht bloß durch das gestrige
Widerbellen des *Icilius,* nicht bloß durch den Ungestüm des
Virginius, worüber er jetzt das Römische Volk zu Zeugen
nehme, sondern durch zuverlässige Aussagen habe er in
Erfahrung gebracht, dass sich während der ganzen Nacht 35
Rotten in der Stadt zusammengetan hätten, um Aufruhr zu
erregen. Auf diesen Kampf gefasst habe er sich mit Bewaff-
neten eingefunden; nicht, um irgendeinem der ruhigen
Bürger wehezutun, sondern um die Störer der öffentlichen
Ruhe der Würde seines Oberbefehls gemäß zu beschrän- 40

ken. „Also rate ich euch", – so fuhr er fort – „ruhig zu sein! Dorthin, Lictor! schlag den Haufen auseinander und schaffe Platz, dass der Eigentümer seine Sklavin greifen kann!"

5 Als er diese Worte in vollem Zorne herabgedonnert hatte, trat die Menge von selbst auseinander; und das Mädchen stand verlassen da, der Misshandlung zum Raube. Da sprach *Virginius*, wie er nirgend Hülfe sah: „Ich bitte dich, *Appius*, zuerst dem väterlichen Schmerze zu verzeihen, wenn ich 10 mich zu hart gegen dich herausgelassen habe: dann aber erlaube mir, hier im Angesichte des Mädchens die Amme zu befragen, wie die Sache möglich sei; damit ich, wenn ich mit Unrecht Vater geheißen habe, so viel eher beruhigt hier abtreten kann." Auf erhaltene Erlaubnis führte er Tochter und 15 Amme auf die Seite, neben dem Tempel der *Cloacina* zu den Krambuden, die jetzt die Nenen heißen, und da er hier bei einem Fleischer ein Messer wegriss, sprach er: „Kind, dies einzige Mittel blieb mir, deine Freiheit zu retten." Dann durchstach er dem Mädchen die Brust und rief, zum 20 Richterstuhle hinaufblickend: „Auf dich, *Appius*, und dein Haupt lade ich den Fluch dieses Blutes!" *Appius*, durch das über die schreckliche Tat erhobene Geschrei aufgeregt, gab Befehl, den *Virginius* zu greifen. Er aber bahnte sich, wo er ging, mit dem Messer den Weg, bis er, selbst von der nach-25 eilenden Menge gedeckt, das Tor erreichte.

Icilius und *Nunitorius*, die den entseelten Körper aufnahmen, zeigten ihn dem Volke und machten unter Tränen die Gräueltat des *Appius,* die unglückliche Schönheit des Mädchens, die dem Vater gebietende Not zum Vorwurfe ihrer 30 Klagen. Die Frauen zogen hinterher und schrien, *dazu* also sollten sie Kinder gebären? *dies* sei der Keuschheit Lohn? und mehr dergleichen, wie es ihnen in solchen Fällen der weibliche Schmerz, je inniger er bei ihrem weicheren Herzen ist, zu so viel rührenden Klagen eingibt. Desto lauter 35 war das Geschrei der Männer, besonders des *Icilius,* über die dem Volke entrissene tribunische Macht und Ansprache und ihr Unwille über die Lage des Staats.

49. Die Menge geriet in Bewegung, teils über die empörende Bosheit, teils durch die Hoffnung, bei dieser Gele-40 genheit ihre Freiheit wiederzugewinnen. *Appius* befahl bald,

den *Icilius* zu fordern, bald, den Widerspenstigen zu greifen: Endlich, weil man seine Gerichtsdiener jenem nicht beikommen ließ, brach er mit einer Schar patrizischer Jünglinge durch das Gedränge und befahl, ihn ins Gefängnis zu werfen. Allein schon schloss sich an den *Icilius* nicht bloß 5 die Menge, sondern auch *Licius Valerius* und *Marcus Horatius,* als Anführer der Menge. Sie erklärten, als sie den Gerichtsdiener zurückgeworfen hatten, wenn es hier nach Recht gehen sollte, so wären sie hier Beschützer des *Icilius* gegen einen Mann ohne Amt; und wenn dieser Gewalt 10 wolle, würden sie ihm auch da gewachsen sein. Es erfolgte eine stürmische Schlägerei. Des Decemvirs Gerichtsdiener fiel den *Valerius* und *Horatius* an: Das Volk zerbrach ihm die Rutenbündel. *Appius* bestieg die Bühne; *Horatius* und *Valerius* ihm nach. Auf sie hörte die Versammlung; dem *Appius* 15 tosete sie entgegen. Schon gebot *Valerius* den Gerichtsdienern vermöge seines Machtspruchs, vom Appius als einem Amtlosen abzutreten; als dieser, der seinen Trotz besiegt sah und für sein Leben fürchtete, seinen Gegnern unbemerkt, mit verhülltem Haupte in ein Haus, nicht weit vom 20 Markte sich rettete.

Spurius Appius, um seinem Amtsgenossen zu Hülfe zu kommen, brach von einer anderen Seite auf den Marktplatz herein und sah die Regierung schon durch den Sturm besiegt. Von mancherlei Anschlägen umgetrieben, zwischen denen 25 er immer unschlüssig blieb, weil er nach allen Seiten hin den vielen Ratgebern beipflichtete, ließ er endlich den Senat berufen. Dies beruhigte die Menge, weil sie hoffte, da einem großen Teile der Väter das Verfahren der Decemvirn zu missfallen schien, durch den Senat selbst ihrer Re- 30 gierung ein Ende zu machen. Der Senat stimmte dahin, der Bürgerstand dürfte nicht erbittert werden, noch weit mehr aber müsse man zu verhüten suchen, dass die Ankunft des *Virginius* keinen Aufstand im Heere veranlasse.

50. Also wurden die jüngeren Väter ins Lager geschickt, 35 welches auf dem Berge *Vecilius* stand, den Decemvirn zu sagen, sie möchten alles Mögliche tun, die Soldaten von einer Empörung zurückzuhalten. Hier aber hatte *Virginius* einen größeren Aufstand erregt, als er in der Stadt zurückgelassen hatte. Denn außerdem, dass man ihn mit einer 40

Schar von beinahe vierhundert Menschen hatte ankommen sehen, welche aus Erbitterung über das unwürdige Verfahren ihn aus der Stadt begleitet hatten, zog das emporgehaltene Messer und das Blut, womit auch er bespritzt war, das ganze Lager zu ihm her; und die vielen Menschen in städtischer Tracht, die man im Lager erblickte, gaben den Schein einer noch größeren Menge Städter, als wirklich da war.

Aus: Titus Livius: Römische Geschichte. Übersetzt von Konrad Heusinger. Braunschweig 1821, S. 261-270

4. Zum Schauplatz des Stückes: Oberitalien im 16./17. Jahrhundert

Walter Fischer: Das Haus Gonzaga

Der Prinz in „Emilia Galotti", Hettore Gonzaga, ist keine historische Person; sein Name verweist auf ein kleines Herzogtum in der Nähe von Modena.

Das Haus Gonzaga herrschte 1328 bis 1708 in Mantua. Es teilte sich 1478 in die Linien Mantua, Sabionetta und 5 Castiglione. Später gab Francesco II. von Mantua seinem jüngsten Sohne Fernando die 1539 an Mantua gefallene Grafschaft Guastalla bei Modena und erhob sie zum Herzogtum. Im siebzehnten Jahrhundert führten die Herzöge von Guastella einen Prozess wegen des Besitzes von Sabi- 10 onetta, das sie zeitweilig besaßen. Aber einen Herzog Hettore von Guastalla gab es nicht. Mehrfach haben die Gonzagas empörende Verbrechen aus Sinnlichkeit verübt, aber auch ihre Liebe zu den Wissenschaften, Künsten und – Pferden ist bekannt. Der Name des Lustschlosses Dosalo 15 könnte aus Dosolo verändert sein, einem kleinen Orte am Po zwischen Guastalla und Sabionetta. Was die übrigen Personennamen anlangt, so sind sie aus der italienischen Geschichte genommen. Die Orsini waren ein römisches Adelsgeschlecht, aus dem mehrere Päpste hervorgingen. 20

Aus: Gotthold Ephraim Lessing: Emilia Galotti; hrsg. von Walter Fischer. Frankfurt/M.: Diesterweg, 1983, S. 7

5. Zur Polarität von Fürstenhof und bürgerlicher Familie

5.1 Der Hof

Die Hofhaltung der deutschen Fürstentümer orientierte sich im 18. Jahrhundert am französischen Vorbild Ludwigs XIV.

Arnold Hauser: Der Hof

Der bürgerliche Geist des 15. und 16. Jahrhunderts verschwindet aus der deutschen Kunst und Kultur, insoweit von einer solchen nach dem Westfälischen Frieden noch die Rede sein kann. Denn die Deutschen machen den hö-
5 fisch-aristokratischen Stil der Franzosen nicht nur als Schüler und Anhänger mit, sondern übernehmen ihn entweder durch den direkten Import der Künstler und Kunstwerke oder durch die sklavische Nachahmung der französischen Muster. Alle die zweihundert Duodezstaaten
10 möchten es dem französischen König und dem Hof von Versailles gleichtun. So entstehen in der ersten Hälfte des 18. Jahrhunderts die prachtvollen deutschen Fürstenschlösser: Nymphenburg, Schleißheim, Ludwigsburg, Pommersfelden, der Zwinger in Dresden, die Orangerie in
15 Fulda, die Residenz in Würzburg, Bruchsal, Rheinsberg, Sanssouci – alle in einem Maßstab ausgeführt und mit einem Luxus ausgestattet, die in keinem Verhältnis zu den Kräften und Mitteln der zumeist sehr kleinen und armen Länder stehen. Dank diesem Aufwand entwickelt sich so
20 etwas wie eine deutsche Abart der italienischen und französischen Rokokokunst. Die Literatur profitiert aber nicht viel vom Ehrgeiz der Landesherren und die Dichter erhalten von dieser Seite, mit Ausnahme von einigen Musenhöfen, die aber auch erst gegen Ende des Jahrhunderts ent-
25 stehen, wenig Anregung. „Deutschland wimmelt von Fürsten, von denen drei Viertel kaum Menschenverstand haben und die Schmach und Geißel der Menschheit sind" – schreibt ein Zeitgenosse. „So klein ihre Länder, so bilden

sie sich ein, die Menschheit sei für sie gemacht."[1] Es gab in
Deutschland dennoch verschiedene mehr und minder gebildete, despotische und weniger despotische, aufgeklärte
und zurückgebliebene, kunstliebende und bloß prunksüch-
tige Fürsten, es gab aber wohl keinen, der daran gezwei-
felt hätte, dass für einen gewöhnlichen Sterblichen der
Sinn des Daseins darin bestehe, sich von ihnen beherr-
schen und aussaugen zu lassen.

Die Mittel, die der irrsinnige Luxus, die übermütige Bautä-
tigkeit, der kostspielige Hofhalt und die Mätressen der
Fürsten nicht aufzehrten, wurden für das Heer und die Bürokratie verwendet. Das Heer konnte selbstverständlich
nur Polizeidienste leisten und kostete verhältnismäßig wenig; umso schwerer lastete die Bürokratie auf der Nation.
Die Kleinstaaterei bedingte an und für sich eine Verviel-
fachung des Beamtenapparats, die noch gesteigert wurde
durch die Verbürokratisierung des Staates, die Übertra-
gung der Funktionen der autonomen Körperschaften auf
Staatsämter, die Vorliebe für Erlasse und Verordnungen
und die allgemeine Tendenz zur Reglementierung des öffentlichen und des privaten Lebens. Es herrschte zwar
auch in Frankreich das gleiche politische, wirtschaftliche
und gesellschaftliche System, der Bürger war in seinen
Geschäften und Unternehmungen auch dort durch den In-
terventionismus gehemmt und die staatliche Misswirt-
schaft geschädigt und hatte ebenso wie in Deutschland unter Rechtsberaubung und Missachtung zu leiden; in den
kleinen Verhältnissen der deutschen Fürstentümer wirkte
sich aber all das viel drückender und demütigender aus. In
der unmittelbaren Nähe des Hofes, unter dem Druck eines kleinlichen Staatsapparats, aber eines ebenso an-
spruchsvollen und verschwenderischen Fürsten, unter den
Augen von wenig einflussreichen, doch ebenso unmensch-
lichen Beamten führte der Bürger in Deutschland eine
noch beunruhigtere und bedrohtere Existenz. Der Staats-
dienst saugt zwar in den untergeordneten Funktionen ei-

---

[1] Graf Manteuffel in einem Brief an den Philosophen Wolf. In: Karl
     Biedermann: Deutschland im 18. Jahrhundert. 1880. 2. Aufl. II, 1,
     S. 140

nen bedeutenden Teil des Mittelstandes auf, er depraviert
aber diese kleinen Beamten sehr durch den Umstand, dass
die staatliche Verwendung für die meisten von ihnen die
einzige standesgemäße Lebensmöglichkeit darstellt. Für ei-
5 nen Bürgerlichen, der nicht im Handel oder im Gewerbe
tätig ist, bleibt eben nichts anderes übrig, als Staatsbeam-
ter, Verwaltungsjurist, Geistlicher der Landeskirche oder
Lehrer an einem öffentlichen Institut zu werden.

Aus: Arnold Hauser: Sozialgeschichte der Kunst und Literatur. München: Beck
1973, S. 620-622

Leo Balet, E. Gerhard:
Das Maitressenwesen am Hof

*Zum fürstlichen Lebensstil gehörte auch das Maitressenwe-
sen.*

Das *Maitressenwesen* florierte an fast allen deutschen Höfen. Es war offiziell sanktioniert. Biedermann berichtet uns
z.B., dass die Juristenfakultät der Universität Halle zu An-
fang des 18. Jahrhunderts ein Rechtsgutachten dahin abgab,
5 dass Fürsten und Herren den gewöhnlichen, für Pri-
vate geltenden Gesetzen nicht unterworfen, sondern lediglich Gott für ihre Handlungen Verantwortung schuldig
seien, „dass daher auch ein ungeregeltes Liebesverhältnis
mit einem Großen für eine Person nichts Entehrendes ent-
10 halte, dass vielmehr auf eine solche etwas von dem *splen-
deur* ihres *amanten* übergehe."[1] [...]
Das Maitressenwesen hatte allmählich so überhand genommen, dass sich sogar der fromme, bibelfeste und spar-
same Friedrich Wilhelm I. von Preußen verpflichtet fühlte,
15 eine Maitresse zu halten, ohne für die ihr gezahlte Apanage
eine Gegenleistung zu verlangen. Diese Gräfin von Kolbe-
Wartenberg geb. Rückert, eine Schankwirtstochter aus
Cleve, war zuerst an einen Kammerdiener verheiratet und
Maitresse von Kolbe gewesen, hatte dann nach dem Tode

---

[1] Karl Biedermann: Deutschland im 18. Jahrhundert. Leipzig 1854-80
(4 Bde.)

ihres Mannes von Kolbe geheiratet, der bald zum Schloss-hauptmann, Oberstallmeister und ersten Kammerherrn des Königs avancierte. Mit ihrem königlichen Geliebten lustwandelte diese „maitresse en titre" täglich ein Stünd-chen, mit anderen, z.B. dem englischen Botschafter und 5 August dem Starken trieb sie andere Scherze. Karl Eugen von Württemberg hielt sich einen ganzen Harem von ita-lienischen und französischen Mädchen, zu denen sich häu-fig die verschleppten Töchter seiner Untertanen gesellten. Wenn eins seiner Landeskinder schwanger wurde, schick- 10 te der Herzog es nach Hause mit der „fürstlichen" Ent-schädigung von 50 Gulden, „ein für allemal".

Aus: Leo Balet/E. Gerhart: Die Verbürgerlichung der deutschen Kunst, Literatur und Musik im 18. Jahrhundert. Frankfurt/Berlin/Wien: Ullstein 1973, S. 46f.

Zeitgenössische Berichte schildern die Vergnügungssucht und die frauenverachtenden Umgangsformen an den Höfen.
Baron von Wimpfen schreibt in seinen Memoiren:

Bericht des Barons von Wimpfen (1763)

Im Jahre 1763 kam ich von dem einjährigen Aufenthalt am spanischen Hofe nach Stuttgart zurück und drehte mich nun an diesem Hofe 10 Jahre lang in einem Kreise von Ver-gnügungen und Feten herum, deren Genuss keine Unruhe unterbrach. So ein Hof war damals nirgends wie der Würt- 5 tembergische. Der Herzog hielt 15 000 Mann der besten, schönsten und diszipliniertesten Truppen, die es je gab. Ge-gen 200 Edelleute und unter diesen gegen 20 Prinzen und Reichsgrafen waren in seinen Diensten. Er hielt für seine Person gegen 80 Pferde. Ludwigsburg, seine gewöhnliche 10 Sommerresidenz, wurde von ihm immer mehr vergrößert und verschönert. Man fand am württembergischen Hofe die erste Oper von ganz Europa, das erste Orchester, die schönsten Ballette, die beste französische Komödie nach der zu Paris. Und bei so vielen fast täglichen Spektakeln, die 15 man ohne jegliche Bezahlung mitgenießen konnte, gab es noch viele außerordentliche Feten, deren volle Pracht ich

erst alsdann recht schätzen lernte, als ich später sah, was an anderen Höfen oft allgemeine Bewunderung erhielt. Nichts war aber doch angenehmer als die Sommerreisen des Herzogs auf seine Lustschlösser, besonders nach Grafeneck,
5 einem Schloss in einer der rauesten Gegenden des Schwarzwaldes, wo der Herzog einen Teil der heißesten Jahreszeit zubrachte. Gewöhnlich begleiteten den Herzog nur 10-12 Kavaliere, unter denen mich zu befinden ich fast immer das Glück hatte. Das ganze übrige Gefolge bestand
10 aus 6-700 Personen, alle nur zu seinem Vergnügen bestimmt. Da gab es das Auserlesenste, was zur französischen Komödie, zur komischen Oper und zur großen italienischen Opera gehörte. Das Orchester bestand aus lauter Virtuosen der ersten Klasse: Zomelli, Lolli, Nardini, Rudolphs,
15 Schwarz, Gebrüder Pla – und Norverre hatte Befehl, nichts als die reizvollsten Ballette zu geben. Man sah nichts als den zaubervollsten Tanz der „Floren und Heben".[1]
Was je nur Natur und Talente vermochten, um Freude und Genuss hervorzubringen, war da – und alles war auch für
20 den Genuss recht gestimmt. Unter Freuden schlief man ein, unter Freuden wachte man auf. Zwei verschiedene Musikchöre gaben das Signal zum Erwachen. Man genoss in Gesellschaft das Frühstück, gewöhnlich im einsamen, schattenreichen Walde. Da fingen denn auch schon bei einer
25 ländlichen Musik die Ronden und Quadrillen an. Alles disponierte sich zum Abendballe. Die Zwischenzeit ward bei der Toilette verbracht, beim Spiel, bei der Tafel, bei Spektakulen aller Art. Bald gab's eine Fischerpartie, bald eine Jagd, bald einen Spaziergang in den dunklen grünen Wald, wo es
30 nie an Gesellschaft der Floren und Heben fehlte. Gewiss, angenehmere Tage habe ich nie erlebt und an einigen derselben genoss ich so viel Freude, dass mich noch gegenwärtig die Erinnerung bald bezaubert, doch noch häufiger traurig macht. Es sind nicht die schönen Mädchen allein, welche
35 die Freuden dieses Aufenthaltes so sehr erhöhten. Alles kam zusammen: die gute Tafel, der herrliche Appetit, den nur die Morgentänze und unsere nachmittägigen Jagdpartien

---

[1] Tanz der Göttinnen der Pflanzen und der Jugend (Singular: Flora bzw. Hebe)

brachten – und was über alles ging: der Herzog war da –
er immer froh, immer gleich guter Laune, voll Einsichten
und Witz, immer herablassend gegen seine Hofleute ...

Brief der Herzogin von Orléans (1720)

Die Herzogin von Orléans berichtet:

„Der Prinz de Conti wird alle Tage toller und närrischer.
In einem von den letzten Bällen hier im Opernsaale nahm
er mit Gewalt ein arm Mädgen, so aus der Provinz kommen war, ganz jung, reißt es mit Gewalt von ihrer Mutter
weg, setzt es zwischen seine Beine, hält sie mit einem Arm, 5
gibt ihr 100 Nasenstieber und Maulschellen, dass ihr
Mund und Nase bluteten. Das arme Mädchen weinte bit-
terlich, er aber lachte auf und rief: Ne sais-je pas bien donner des chiquenaudes?[1] Es hat alle Menschen gejammert
so es gesehen. Das Mensch hat ihm in seinem Leben 10
nichts zuleide getan, er kannte sie nicht. Man hat dem armen Mädgen nicht helfen wollen, denn niemand mag mit
dem Narren zu tun haben. Den 2. Febr. 1720."

Aus: Eduard Fuchs: Illustrierte Sittengeschichte vom Mittelalter bis zur Gegenwart. Die galante Zeit. Berlin: Guhl Verlag, o. J., S. 37f. und S. 59

5.2 Die bürgerliche Familie

Max Horkheimer (1895 – 1973): Autorität und Familie

*Der Sozialwissenschaftler analysiert kritisch die Zwänge inner-
halb der bürgerlichen Kleinfamilie.*

Aber nicht nur auf diesem unmittelbaren Weg übt die Frau
eine autoritätsstärkende Funktion aus, sondern ihre ganze
Stellung in der Kleinfamilie hat eine Fesselung wichtiger
seelischer Energien, die der aktiven Gestaltung der Welt
zugute kommen könnten, notwendig zur Folge. Die Mono- 5
gamie in der bürgerlichen Männergesellschaft setzt die

---

[1] „Verstehe ich es nicht gut, mit den Fingern zu schnipsen?"

Entwertung des Genusses aus reiner Sinnlichkeit voraus. Es wird daher nicht nur das Geschlechtsleben der Gatten den Kindern gegenüber mit Geheimnis umgeben, sondern von aller der Mutter zugewandten Zärtlichkeit des Sohnes
5 muss aufs Strengste jedes sinnliche Moment gebannt werden. Sie und die Schwester haben auf reine Gefühle, unbefleckte Verehrung und Wertschätzung Anspruch. Die erzwungene, vom Weibe selbst und erst recht vom Vater nachdrücklich vertretene Scheidung von idealischer Hinga-
10 be und sexueller Begierde, von zärtlichem Gedenken und bloßem Interesse, von himmlischer Innerlichkeit und irdischer Leidenschaft bildet eine psychische Wurzel des in Widersprüchen aufgespaltenen Daseins. Indem das Individuum unter dem Druck der Familienverhältnisse die Mut-
15 ter nicht in ihrer konkreten Existenz, das heißt nicht als dieses bestimmte soziale und geschlechtliche Wesen begreifen und achten lernt, wird es nicht bloß dazu erzogen, mit seinen gesellschaftlich schädlichen Regungen fertigzuwerden, was eine ungeheuere kulturelle Bedeutung hat,
20 sondern weil diese Erziehung in der problematischen, verhüllenden Weise geschieht, geht in der Regel dem Einzelnen die Verfügung über einen Teil seiner psychischen Kräfte dauernd verloren. Die Vernunft und die Freude an ihr werden beschränkt, und die gehemmte Neigung zur Mut-
25 ter kehrt in der schwärmerischen, sentimentalen Empfänglichkeit für alle Symbole dunkler, mütterlicher, erhaltender Mächte wieder. Dadurch, dass die Frau sich dem Gesetz der patriarchalischen Familie beugt, wird sie selbst zu einem die Autorität in dieser Gesellschaft reproduzierenden
30 Moment.

Aus: Max Horkheimer: Kritische Theorie I, Fischer Verlag. Frankfurt/M. 1968, S. 352f.

Ingeborg Weber-Kellermann:
Die Haushaltsfamilie

Die patriarchale „Haushaltsfamilie" war die vorherrschende Familienform vom späten Mittelalter bis ins 19. Jahrhundert.

In einem lang andauernden Prozess formte sich das Leitbild der *christlichen Familie* unter der rechtsverantwortlichen Führung des *Hausvaters*. Als Produkt bürgerlichen und bäuerlichen Wirtschaftsdenkens entstand die Haushaltsfamilie als dominierende familiäre Sozialform des späten Mittelalters und der frühen Neuzeit. Damit ist eine familiale Gruppe gemeint, die auf einem Bauernhof, im Handwerker- oder Kaufmannshaus zusammenlebte und gemeinsame Produktionsmittel bewirtschaftete; sie musste nicht ausschließlich Blutsverwandte umfassen und auch nicht eine Organisation mehrerer Generationsschichten sein. Die Haushaltsfamilie war vielmehr ein Hausverband von Eltern, Voreltern und Kindern als Lebens- und Wirtschaftsgemeinschaft, dem auch nicht blutsverwandte Mägde, Knechte, Dienstboten, Gesellen usw. angehören konnten und den der Hausvater in der Gemeinde als Rechtsperson vertrat. Diese Form der Haushaltsfamilie, die für die ländliche und die städtische Bevölkerung bis ins frühe 19. Jahrhundert bestimmend war, umfasste *das ganze Haus,* den *oikos.* Dementsprechend setzte sich im späten 16. Jahrhundert das lat. *familia* in der Bedeutung von *Hausgenossenschaft* durch, während Luther noch vom *ganzen Haus* gesprochen hatte.

Der *Hausvater* übte die rechtliche, wirtschaftliche und erzieherische Gewalt über den gesamten *Hausstand* aus und trug die Verantwortung für dessen Mitglieder. Damit entwickelte sich ein patriarchalisches autoritäres Struktursystem, das im Herrschaftsmodell des *Landesvaters* sein Vorbild hatte. Der Königs- oder Fürstenhof kann als erweiterte Haushaltung des Königs verstanden werden [...], der über seine Hofgesellschaft die Rechte eines Hausvaters mit entsprechender Hausgewalt ausübte. Im Unterschied zum mittelalterlichen Ständestaat gewannen später König oder Fürst das Übergewicht über die Stände und entwickelten zur Stabilisierung dieser Machtstrukturen entsprechende kulturelle Figurationsgefüge [...]. Die gesellschaftliche Ordnung war also in der frühen Neuzeit ständisch-hierarchisch und patrimonial gegliedert. „Kaiser, König, Edelmann – Bürger, Bauer, Bettelmann!", wobei nur die oberen Gruppen streng geschieden waren, sich aber im *dritten Stand,* dem quantitativ größten, verschiedene Gruppierungen in wechselnder Intensität zusammenfanden.

Aus: Ingeborg Weber-Kellermann: Die Kindheit. Frankfurt/M.: Insel Verlag 1989, S. 16f.

Clemens Theodor Perthes (1809–1867): Über die „Abgeschlossenheit der Familie und des Hauses" (1845)

Seit dem Mittelalter lebt der Begriff des „ganzen Hauses" als der einer rechtlichen und ökonomisch begündeten Einheit.

„Die Ursprünglichkeit und Abgeschlossenheit der Familie und des Hauses gegenüber dem Volke und dem Staate hatte im Rechte des Mittelalters ihren vollen Ausdruck erhalten. In seinem Hause, hieß es, ist der Mann gesessen in
5 stiller, nützlicher, geruhiger Gewer und Gewalt[1] länger denn Landrecht und Gewohnheit ist. Die Türe, welche das

Gonzales Coques (1618–1684): Der Zeichnungssammler und seine Familie (Museumslandschaft Hessen Kassel, Gemäldegalerie Alte Meister)

---

[1] Sinngemäß: in ... mit Gewalt ausgestatteter Wehrhaftigkeit.

Haus von der Gemeinde und vom Staate scheidet, war ein unantastbares Heiligtum. In seinem Hause, darinnen er wohnte, sollte jeder Frieden haben, sodass ihm binnen seinen vier Pfählen kein Urteil schaden könnte. Die Ehefrau, die Hausehre in der Sprache der Zeit genannt, war wie 5 der Haussohn und die Haustochter dem öffentlichen Leben nur durch den Hausherren bekannt, und hat jemand, sagte das alte Recht, an Knecht und Magd, die des Mannes Hausgewalt heißen, Unfuges begangen, so mag der Mann wohl klagen, weil man seiner nicht geschont hat an seinem 10 Gesinde und hat den Frieden an ihm gebrochen. Keine Familie hatte im Mittelalter eine andere Gewalt als die ihres Hauptes gekannt, aber der Mann, durch den das Haus zum Hause ward, wäre kein freier Mann gewesen, wenn er nicht größeren oder kleineren Kreisen des öffentlichen Le- 15 bens angehört und für sie gewirkt und geduldet hätte."

Aus: Ingeborg Weber-Kellermann: Die Familie. Frankfurt/M.: Insel-Verlag 1976, S. 40f.

Sophie von La Roche (1731 – 1807): Mädchenjahre und Bildung

Die Schriftstellerin Sophie von La Roche schildert anschaulich, welchem Druck sie als junge Frau durch den Vater ausgesetzt war.

Mein Vater war ein sehr gelehrter, aber sehr harter Mann; meine Mutter eine gefühlvolle, sanfte Frau. Er ermunterte meinen Kopf zum Wissen, sie mein Herz zur Güte. Er leitete mich zur Natur- und Völkergeschichte, sie sorgte für Haushaltungskenntnis und gute Anwendung der Stunden in 5 Französisch, Musik, Zeichnen und Malen in Wasserfarbe, auch in der Stickerei und andren. So wuchs ich bis in das 16. Jahr, da der Zufall den Herrn Bianconi, Leibarzt des Fürsten von Augsburg, der als Sächsischer Resident in Rom starb, in unser Haus führte und ihn den Plan entwer- 10 fen machte, mich zu seiner Gattin auszubilden und jede Fähigkeit meines Geistes anzubauen. Rohaults Mathematik, dann seine eigene Philosophie, alle Poeten seines Vaterlands, schöne Künste, Liebe zu eingezogenem Leben mit

Büchern war, was der edle Mann in drei Jahren mir mitteilte und, ich darf sagen, eigen machte. Natürlich nährte er auch die Anhänglichkeit an ihn. Mein Vater, der sehr zufrieden mit dieser Heirat war, reiste mit ihm nach Bologna,
5 aber versagte mich ihm, da alle Kinder katholisch sein sollten. Bianconi wollte mich entführen; ich wollte nicht ohne den väterlichen Segen aus dem Haus, und da wurde das Schicksal meines Geists entschieden. Bianconi war nach Dresden; mein Vater sah mich traurig und wollte das
10 Andenken an diesen Mann auslöschen. Ich musste also Briefe, Bücher, Schriften, alles, was ich hatte, bringen und sehen, wie mein Vater alles zerriss und verbrannte. Als er meine mathematischen Übungen angriff, fiel ich auf meine Knie und bat ihn, mir nur die Früchte meines Fleißes zu las-
15 sen; er tat es nicht und zerriss und verbrannte auch diese. Meine Seele wurde empört. Ich hatte dem kindlichen Gehorsam meine Liebe geopfert und hielt mich misshandelt. Ich wollte katholisch und eine Nonne werden. Der Bischof, an den ich schrieb, sagte es dem großen Bruder, die-
20 ser machte Vorstellungen in meiner Familie, und man erkannte, dass die Maßregeln unrecht waren. Bianconi war mir noch einer der beste, liebste und verehrungswürdigste Sterbliche. Ich konnte nichts mehr für ihn tun, aber ich tat ein Gelübd, dass nie kein Mann mehr mich Singen, Klavier-
25 spielen oder Italienisch reden hören sollte, dass jede Kenntnis, die er mir in Berechnung des Glücks seines Lebens gegeben, in meiner Seele verschlossen bleiben sollte. Ich hätte ihm alle Liebe geopfert; nun weihte ich seinem Andenken das Opfer jedes Lobes, das ich durch diese Ta-
30 lente erhalten konnte, die ich in hohem Grad besaß. Sie sehen, dass ein einziger Zug Leidenschaft den schönen Gang edler, gründlicher Kenntnis in mir unterbrach. [...] Bianconi hatte mit einer mir unbekannten Kunst die Saiten meiner Seele für Wissenschaft und Liebe in ewigem Ein-
35 klang gehalten und muss sie mit einer Meisterhand gestimmt haben, denn sie schlagen immer noch mit gleicher Stärke an und haben immer in dem größtem Kummer meines Lebens, in Stürmen des Unglücks selbst, die Schmerzen der Seele gelindert und mir Ruhe geschenkt. Segen sei
40 seiner Asche dafür. Ihm danke ich, dass ich von jeder Wis-

senschaft den Wert und Umfang zu schätzen weiß und jede innig liebe. Ihm danke ich das lebendige Gefühl für alles
Edle und Schöne und die Wärme, mit welcher mein Herz
das Verdienst ehrt und liebt; der Ton Zärtlichkeit für Mann,
Kinder und Freunde – alles ist von ihm.   5

Aus: Andrea von Dülmen (Hrsg.): Frauen. Ein historisches Lesebuch. München:
Beck, 1989, S. 26f.

Gebet gegen Fleischeslust (1741)

*Der folgende Text stammt aus einem evangelischen Gesang-
buch.*

Heiliger und gerechter GOtt, barmherziger lieber vater!
dir bekenne und klage ich die grosse unart meines ver-
kehrten fleisches, und die unreinigkeit meines herzens, aus
welchem, als aus einer giftigen quelle, allerley böse lüste
entspringen, die wider die seele streiten. Ach HErr! wie   5
oft, wie geschwinde übereilet und bethöret mich ein böser
gedanke, eine verkehrte lust, und unterstehet sich mein
herz einzunehmen, und zur sünde zu verleiten! Herzlich
leid ist mir solches, und ich habe keinen gefallen an den
bösen gedanken und lüsten des fleisches. So verwirf mich 10
doch nicht von deinem angesichte, oh mein GOtt! und
nimm deinen heiligen geist nicht von mir. Schaffe aber in
mir ein reines herz, und gib mir einen neuen gewissen
geist, damit ich die vergängliche lust der welt fliehe, und
nicht nach meinen lüsten wandele; sondern meinen willen 15
breche, und deinem allein guten willen vom herzen gehor-
che. Vergib mir auch, o HErr! meine verborgene fehler um
Christi willen, und wappne mich durch deinen geist, dass
ich ja die sünde in meinem sterblichen leibe nimmermehr
herrschen lasse, ihr gehorsam zu leisten in ihren lüsten;   20
sondern dass ich dir lebe im glauben und rechtschaffener
heiligkeit. Regiere mich allezeit, dass ich vom herzen alle
dinge fliehe, durch welche des fleisches lust angereizet und
entzündet wird, und dass ich mich hingegen zu deinen
zeugnissen halte, und alle meine lust an deinen gebohten 25
habe: sonderlich aber dass ich allezeit bedenke, wie so ei-

ne grosse unaussprechliche und ewige pein auf die kurze und elende lust dieses lebens erfolgen werde; damit ich desto lieber aller fleischlichen lust widerstrebe, und allein trachte nach dem, das droben ist, da mein heiland JEsus
5 Christus ist: damit ich dermaleinst allezeit bey ihm seyn möge, da ich mit rechter himmlischer wollust, als mit einem strome, werde getränket werden; da ewige freude über meinem haupte seyn, freude und wonne mich ergreifen und aller schmerz und herzeleid weg müssen wird. Da-
10 hin hilf, o vater! mir und allen frommen herzen, um JEsu Christi willen, Amen.

Aus: W. Killy/Chr. Perels (Hrsg.): Die deutsche Literatur im 18. Jahrhundert. München: Beck, 1983, S. 172

6. Lessings Dramentheorie

Gotthold Ephraim Lessing:
Brief an Friedrich Nicolai (1756)

In einem Brief an Friedrich Nicolai (1756) äußert sich Lessing zusammenfassend über die beabsichtigte Wirkung von Tragödie und Lustspiel. Die Charakterisierung der Person als „gemischter Charakter" spielt dabei eine wichtige Rolle.

Wenn es also wahr ist, dass die ganze Kunst des tragischen Dichters auf die sichere Erregung und Dauer des einzigen Mitleidens geht, so sage ich nunmehr, die Bestimmung der Tragödie ist diese: Sie soll *unsere Fähigkeit, Mitleid zu fühlen, erweitern.* Sie soll uns nicht bloß lehren, gegen diesen 5 oder jenen Unglücklichen Mitleid zu fühlen, sondern sie soll uns so weit fühlbar machen, dass uns der Unglückliche zu allen Zeiten und unter allen Gestalten rühren und für sich einnehmen muss. Und nun berufe ich mich auf einen Satz, den Ihnen Herr Moses [Mendelssohn][1] vorläufig de- 10 monstrieren mag, wenn Sie, Ihrem eignen Gefühl zum Trotz, daran zweifeln wollen. *Der mitleidigste Mensch ist der beste Mensch,* zu allen gesellschaftlichen Tugenden, zu allen Arten der Großmut der aufgelegteste. Wer uns also mit- leidig macht, macht uns besser und tugendhafter und das 15 Trauerspiel, das jenes tut, tut auch dieses, oder – es tut je- nes, um dieses tun zu können. Bitten Sie es dem Aristote- les ab oder widerlegen Sie mich.
Auf gleiche Weise verfahre ich mit der Komödie. Sie soll uns zur Fertigkeit verhelfen, alle Arten des Lächerlichen 20 wahrzunehmen. Wer diese Fertigkeit besitzt, wird in sei- nem Betragen alle Arten des Lächerlichen zu vermeiden suchen und eben dadurch der wohlgezogenste und gesit- tetste Mensch werden. Und so ist auch die Nützlichkeit der Komödie gerettet. 25
Beider Nutzen, des Trauerspiels sowohl als des Lustspiels, ist von dem Vergnügen unzertrennlich; denn die ganze

---

[1] Moses Mendelssohn (1729–1786): Publizist und Mitarbeiter Nico- lais

Hälfte des Mitleids und des Lachens ist Vergnügen, und es ist großer Vorteil für den dramatischen Dichter, dass er weder nützlich noch angenehm, eines ohne das andere sein kann. [...]

5 Das Trauerspiel soll so viel Mitleid erwecken, als es nur immer kann; folglich müssen alle Personen, die man unglücklich werden lässt, gute Eigenschaften haben, folglich muss die beste Person auch die unglücklichste sein und Verdienst und Unglück in beständigem Verhältnisse blei-

10 ben. Das ist, der Dichter muss keinen von allem Guten entblößten Bösewicht aufführen. Der Held oder die beste Person muss nicht, gleich einem Gotte, seine Tugenden ruhig und ungekränkt übersehen. [...]

Merken Sie aber wohl, dass ich hier nicht von dem Ausgan-

15 ge rede, denn das stelle ich in des Dichters Gutbefinden, ob er lieber die Tugend durch einen glücklichen Ausgang krönen oder durch einen unglücklichen uns noch interessanter machen will. Ich verlange nur, dass die Personen, die mich am meisten für sich einnehmen, *während der Dau-*

20 *er des Stücks,* die unglücklichsten sein sollen. Zu dieser Dauer aber gehöret nicht der Ausgang. [...]

Aus: G. E. Lessing: Sämtliche Schriften, hrsg. von Karl Lachmann. Band 17. Stuttgart 1886, S. 63 ff.

7. Rezeption und Deutung der „Emilia Galotti"

Lessings Stück ist sowohl zu seinen Lebzeiten als auch bei den nachfolgenden Interpreten kontrovers aufgenommen worden. Die unterschiedlichen Deutungen beziehen sich vor allem auf die Person Emilias und auf den tragischen Schluss.

Johann Jacob Engel: Über Emilia Galotti (1775)

Ich habe gegen die Ausführung der letzten Szene noch eine andere Erinnerung zu machen, von der ich mich wundre, dass sie noch sonst niemand gemacht hat. Sie betrifft die an sich so vortreffliche Stelle, worin *Emilia* über Gewalt und Verführung philosophiert. Wenn ich sie sagen höre: 5 „Ich habe Blut, mein Vater; so jugendliches, so warmes Blut, als eine. Auch meine Sinne sind Sinne. Ich stehe für nichts. Ich bin für nichts gut. Ich kenne das Haus der Grimaldi. Es ist das Haus der Freude u. s. f.", so weiß ich in der Tat nicht, was aus dem Mägdchen geworden ist. Ich 10 möchte fast argwöhnen, dass ihre Liebe zu *Appiani* bloße Koquetterie[1] gewesen. Denn sagen Sie selbst, mein Freund; wie kann sich *Emilie,* in ihrer jetzigen Lage, vor Verführung fürchten? und vor Verführung vom Prinzen? Sie weiß, wie sie selbst gesteht, warum *Appiani* tot ist, dieser 15 ihr teurer, geliebter *Appiani,* dessen Tod ihr, wo sie nicht das nichtswürdigste Mädchen ist, an die innerste Seele gehen muss; sie sieht gleichsam sein Blut noch an den Händen des Prinzen kleben: und wäre nun dieser Prinz ein Adonis, wäre er der Liebenswürdigste aller Sterblichen; 20 so müsst er ihr doch um dieses Blutes willen, in diesem ersten Augenblicke der empörten Leidenschaft, das grässlichste, verabscheuungswürdigste Ungeheuer dünken, das je die Erde getragen. Dazu kömmt noch, dass sie den ganzen Plan durchsieht, den er gegen ihre Tugend gemacht, 25 diesen ehrlosen, schändlichen Plan: und wie sehr muss nicht das bei einem so frommen, so ehrliebenden, für ihre

---

[1] Spielerei

Seele so besorgten Mädchen, den vorigen Abscheu noch
verstärken! Immer mag ihre Religion ihr sagen, dass bei
der Verderbnis des menschlichen Herzens kein Verbrechen
unmöglich sei: In der jetzigen Verfassung kann ihre Seele
⁵ auf keinen Gedanken achten, keinen Gedanken annehmen,
als der ihrem äußerstem Abscheue gegen den Prinzen gemäß ist, ihn verstärkt, ihn bestätigt. Wenn sie sich also
nicht vor Gewalt fürchtet, vor eben der Gewalt, die eben
jene Heiligen vermeiden wollen, da sie sich in die Fluten
¹⁰ stürzten; vor was sonst kann sie sich fürchten? Davor nimmermehr, dass je der Prinz ihr gefallen, dass je ihr Blut für
ihn wallen, dass je ihre Sinne an ihm Gefallen finden sollten; oder ich gestehe gern, dass ich keinen Begriff von dem
habe, was menschliches Herz ist. – Erklären Sie mich aber
¹⁵ nicht unrecht, mein Freund. Ich behaupte nicht, dass *Emilia*
ihren *Appiani* nicht wirklich vergessen, nicht vielleicht
schon in einem Monate von dem Prinzen verführt sein
könne; das kann sie sehr leicht und sie wäre wohl nicht
das erste Mädchen. Ich sage nur, dass sie jetzt, vermöge ih-
²⁰ res Charakters, vermöge der ersten Täuschung ihrer auf-
gebrachten Leidenschaft, das, was an sich sehr möglich ist,
gar nicht für möglich erkennen müsse.

Aus: W. Killy/Chr. Perels (Hrsg.): Die deutsche Literatur im 18. Jahrhundert.
München: Beck, 1983, S. 22f.

*Eine erste marxistisch orientierte Interpretation, der dann vor
allem die Literaturgeschichtsschreibung in der DDR folgte,
stammt von Franz Mehring.*

Franz Mehring: Lessings Emilia Galotti (1894)

Der Prinz ist der erste moderne Fürst, den ein deutscher
Bühnendichter zu zeichnen gewagt hat, und er ist auch der
letzte geblieben. Gleich die ersten Worte des ersten Auf-
zugs kennzeichnen ihn: „Klagen, nichts als Klagen! Bitt-
⁵ schriften, nichts als Bittschriften! Die traurigen Geschäfte!
und man beneidet uns noch!" In der Scheu vor jeder erns-
ten Arbeit spielt er sich als Opfer einer erdrückenden Ar-

beitslast auf. Das einzige Schriftstück, das er durch Gewäh-
rung erledigt, verdankt diesen Vorzug dem Umstand, dass
die Bittstellerin Emilia heißt, und diesen einzigen Entscheid,
den er getroffen hat, nimmt er dann ohne Grund, wie er
ihn gegeben hat, auch wieder ohne Grund halb und halb zu- 5
rück. Alles ist bei ihm Laune, Stimmung, zufällige Erregung
des Augenblicks. Er ist von Haus aus weder ein dummer
noch ein schlechter Mensch, aber er ist ein Produkt des
Berufs geworden, in dem er geboren ist. „Halb in jeder
Tugend und in jedem Laster", wie ihn ein neuerer Literar- 10
historiker schildert, „und nur in einem ganz: in dem unzer-
störbaren, sentimentalen Fürstenbewusstsein". In diesem
Bewusstsein, das die schwächliche Halbheit denn auch
ja zuweilen in eine ganz andere Büberei auslaufen lässt. In
seinem Herrendünkel wird er der Sklave seines eigenen 15
Werkzeugs, und den Kammerherrn Marinelli, den er heute
fortjagt in ohnmächtigem Aufschaudern über einen blutigen
Frevel, wird er morgen wieder holen, um seine fürstlichen
Müßiggang mit neuen Freveln zu kitzeln. Marinelli wieder
ist von manchen Darstellern ganz falsch aufgefasst worden 20
als eine Art Mephisto. Er ist nach des Dichters Absicht,
wie Goethe schon hervorgehoben hat, der reine Hofmann,
feige und gemein, habgierig und kriechend, boshaft und
rachsüchtig, wie dergleichen „Hofgeschmeiß" zu sein
pflegt, ein gemeiner Kerl ohne Charakter und Geist. Dage- 25
gen ist die Gräfin Orsina eine wahrhaft dämonische Ge-
stalt, wie sie sonst nur dichterischen Genies von allerers-
tem Range zu gelingen pflegt. Lessing, der sich selbst den
Namen eines Dichters absprach, hat ihr eine tüchtige Mit-
gift von dem tragischen Witze gegeben, von dem er selbst 30
in allen Nöten seines Lebens zu zehren pflegte, und mit
bescheidener Zuversicht sagte er voraus, in den Händen
einer guten Schauspielerin werde diese Rolle stets wirk-
sam sein.
Weniger plastisch kommt die Heldin heraus, die dem 35
Stück den Namen gegeben hat, und das hängt unlöslich mit
jenem tragischen Missklange zusammen, in dem das Drama endet. Es stimmt nicht recht zu dem Charakter des
frommen und unschuldsreinen, mit weltfremden Augen in
die arge Welt blickenden Kindes, dass sie aus Angst vor 40

der Verführung den Tod von der Hand des Vaters verlangt.
Der Dichter erklärt ihren Charakter durch den Mund ihrer Mutter: „Sie ist die Furchtsamste und Entschlossenste
ihres Geschlechts. Ihrer ersten Eindrücke nie mächtig, aber
5 nach der geringsten Überlegung in alles sich findend, auf
alles gefasst." Lessing wusste wohl, dass es um dramatische Charaktere, die erst der Erläuterung bedürfen, immer
etwas misslich bestellt ist. Er schreibt an seinen Bruder:
„Weil das Stück Emilia heißt, ist es darum mein Vorsatz ge-
10 wesen, Emilia zu dem hervorstechendsten oder auch nur
zu einem hervorstechenden Charakter zu machen? Ganz
und gar nicht. Die Alten nannten ein Stück wohl nach Personen, die gar nicht aufs Theater kamen. Die jungfräulichen
Heroinen und Philosophinnen sind gar nicht nach meinem
15 Geschmack." Umso schärfer sind die Eltern der Emilia
ausgeprägt. Odoardo sowohl, an dem wir uns den Geschmack nur nicht verderben lassen dürfen durch die un-
zähligen schwächeren und – wie oft! – schwächlich-über-
schwänglichen Heldenväter, die nach seinem Muster
20 gearbeitet worden sind, als auch Claudia, der bei aller
sonstigen Bravheit doch der leise Stich der bürgerlichen
Hausmutter ins Kupplerische nicht fehlt. Es erübrigt,
viel über die Nebenpersonen zu sagen; mit wenigen spar-
samen Strichen stellt sie der Dichter in ihrer lebendigen
25 Eigentümlichkeit hin, den Grafen Appiani, den Maler Conti,
den Rat Camillo Rota, den Banditen Angelo, den Bedienten
Pierro.
In „Emilia Galotti" gipfelte gewissermaßen das bürgerliche
Klassenbewusstsein, soweit es im Deutschland des vorigen
30 Jahrhunderts überhaupt erwachte. In dem Schicksal dieses
Stücks spiegelt sich das Schicksal des damaligen Bürger-
tums. Einzelne begeisterte Rufe begrüßten das Werk. Her-
der nannte den Verfasser „einen ganzen Mann" und wollte
dem Trauerspiele das an die Adresse der Fürsten gerichte-
35 te Motto: Discite moniti! Lernt, denn ihr seid gewarnt!
vorgesetzt wissen. Goethe sah darin den entscheidenden
Schritt zur sittlich erregten Opposition gegen die tyranni-
sche Willkürherrschaft, und in Schillers revolutionären
Jugenddramen fand es dann noch einen letzten und mäch-
40 tigsten Nachhall. In den „Räubern", im „Fiesco", in „Ka-

bale und Liebe" stößt man überall auf Spuren von Lessings
größtem Drama. Aber die große Masse der deutschen Phi-
lister[1], voran der platte Unverstand der Berliner Aufklärung, blieb kühl und stumm, und Lessing erklärte bald, er
gebe sich alle Mühe, das Stück zu vergessen.   5

Aus: Franz Mehring: Die Lessing-Legende. Frankfurt/M./Berlin/Wien: Ullstein,
1972, S. 492f.

Emilia Galotti –
Aus einer Literaturgeschichte der DDR

Die Tragik in der „Emilia Galotti" erwächst aus der Niederlage der mit allen positiven und idealen Eigenschaften aus-
gestatteten Heldin gegenüber der feudal bestimmten Wirk-
lichkeit. Der realistische Charakter dieser Tragik basiert auf
der dargestellten gesellschaftlich realen Situation, in der die   5
Marinellis freies Spiel haben. Der historische Charakter dieser Tragik ist bürgerlich determiniert, da das in der Heldin
und in den um die Heldin gruppierten Gestalten im zentra-
len Konflikt enthaltene Ideal ein bürgerliches Ideal ist, das
Ideal der bürgerlichen Tugend, das dem feudalistischen Mo-   10
ralkodex entgegensteht. Die allgemeinmenschliche, die hu-
manistische Qualität dieses Ideals bedingt die Wirksamkeit,
die es über die bürgerliche Gesellschaftsordnung hinaus behält. Da das Ideal selbst keine Niederlage erfährt, ist in
keimhaften Elementen der optimistische Charakter und die   15
perspektivische Tendenz der Tragödie zu erkennen.
Die Tragik ist hier nicht unabdingbares Weltschicksal, sondern wirklichkeitsgetreuen realen gesellschaftlichen Kon-
stellationen unterworfen. Der Glaube Lessings, dass die
der Entfaltung des Tugendideals entgegenstehenden Kräfte   20
zu überwinden seien, ist erkennbar, denn Odoardo baut
auf den „Richter unser aller" (V, 8). Dass die Möglichkeit
des gerechten Urteils und eine Lösung außerhalb des Dramas liegt, zeigt nur, dass Lessing das Prinzip realistischer
Gestaltung nicht durch übertrieben utopische Züge ver-   25
letzen kann und will. Die tragische Lösung soll nicht als

---

[1] Spießbürger

grundsätzliche Niederlage des Ideals erscheinen und keineswegs Sinn- und Auswegslosigkeit demonstrieren. So erhält sie das beim bürgerlichen Zuschauer erreichte Wirkungselement der Empörung und des Aufrufs gegen
5 fürstliche Willkür, das der Lösung bereits in den literarisch-stofflichen Vorbildern des Stücks innewohnt.
Dabei darf das durch die Grenzen Lessings und seiner Zeit bedingte transzendente[1] Element in der Lösung des Dramas nicht übersehen werden. Die eigentliche Lösung wird
10 einer höheren Gewalt überantwortet und macht somit deutlich, welche weltanschaulichen und geschichtsphilosophischen Grenzen selbst die progressivsten bürgerlichen Denker des 18. Jahrhunderts nicht zu sprengen vermochten. Vermutlich hat in diesem Zusammenhang die Äuße-
15 rung Lessings: „Je näher ich gegen das Ende komme, je unzufriedener bin ich selbst damit" (25. Januar 1772 an Voß) besondere Bedeutung.

Aus: Aufklärung. Erläuterungen zur deutschen Literatur. Volk und Wissen. Berlin (Ost) 1970, S. 520 f.

Horst Steinmetz: Emilia Galotti (1987)

Will man an einer Schuld Emilias festhalten, einer Schuld, für die sie mit dem Tode sühnen muss – zu einer solchen Deutung geben im Übrigen weder ihre eigenen noch Odoardos Worte im 5. Akt direkte Anweisungen –, dann wird die auf-
5 fällige Unangemessenheit zwischen Vergehen und Strafe durch einen Vergleich mit zeitgenössischen Werken anderer Autoren eher bestätigt als abgeschwächt. Alle tragischen Helden der deutschen Tragödie zwischen 1730 und 1770 sind durch ein tragisches Verschulden charakterisiert, das au-
10 ßer von zweifelsfreier Eindeutigkeit auch von fraglos größerem Gewicht ist. Das gilt auch für die weiblichen Hauptgestalten der bürgerlichen Trauerspiele, die in der Regel den „Fehltritt" einer vorehelichen Sexualbeziehung begehen.
Die weitgehend offene Schuldfrage, die daraus resultieren-
15 de Forciertheit des tragischen Ausgangs, die durch Zufälle

---

[1] überzeitliche

instand gehaltene Kausalität, die Unkenntnis der Gestalten
von Wollen und Handeln der anderen, die hieraus entste-
henden Irrtümer und Fehlhandlungen, die Abhängigkeit der
Personen von den übermächtigen Sprach- und Dialogpro-
zessen – das alles ruft Zweifel hinsichtlich der Tragödien- 5
qualität des Dramas auf, sofern es nach der Formel von
Schuld und Sühne konstruiert sein soll. Zu dem Trauer-
spielmodell der Zeit steht es sichtbar in Widerspruch.
Zweifel aber bestehen auch über diesen historischen Kon-
text hinaus. Sie beziehen sich auf die genuine tragische 10
Kraft des Stückes, auf die in ihm gestaltete tragische Not-
wendigkeit. An ihrer Stelle findet sich das Schicksal primär
unschuldiger Menschen, die infolge einer verhängnisvollen
Kombination von zufällig eintretenden und zusammentref-
fenden Umständen, von Charaktereigenschaften, von Ent- 15
scheidungen und Fehlentscheidungen in eine Situation
geraten, aus der kein anderer Ausweg als der über Katastrophe und Tod führt. Dies jedoch, ohne dass die tragische
Zuspitzung aus der unüberbrückbaren Gegensätzlichkeit
widerstreitender Kräfte hervorginge, ohne dass ein unaus- 20
gleichbarer Konflikt zwischen Gut und Böse vorausliegt,
ohne dass schwerwiegende Schuld entstünde. Es ist, als ob
Appiani und die Galottis einem über sie hereinbrechenden
Unheil ausgesetzt würden, dem sie hilflos unterliegen müssen. Dabei geht es um einen Mechanismus des Unheils, der 25
trotz seiner sich steigernden Engführung doch jederzeit
bei geringfügiger Änderung der ihn bedingenden Umstände
eine andere Richtung einschlagen und die Gestalten ver-
schonen könnte. Auch der Prinz ist hiervon in gewissem
Maße nicht ausgenommen, ebensowenig, wenngleich mit 30
noch größeren Einschränkungen, Marinelli. Extrem
formuliert: das Drama könnte im Prinzip genauso gut als
Komödie geendet sein, wie es jetzt als Tragödie ausgeht.
Die tragische Wirkung, so ist man geneigt zu sagen, beruht
daher nicht in erster Linie auf menschlichen Verfehlungen 35
und Konflikten, sondern wird eher durch die Willkür, die
Zufälligkeit des Schicksals hervorgerufen, das die Galottis
ereilt.

Aus: Interpretationen. Lessings Dramen. Reclam. Stuttgart 1987, S. 108-110

Die abschließende Würdigung Lessings durch die jüdische Philosophin Hannah Arendt greift das Wahrheitsthema (s. S. 89) wieder auf.

Hannah Arendt:
Über Gotthold Ephraim Lessing (1960)

Was Lessing aber betrifft, so hat ihn das gefreut, was die Philosophen seit eh und je, zum Mindesten seit Parmenides und Plato so bekümmert hat, nämlich dass die Wahrheit, sobald sie geäußert wird, sich sofort in eine Meinung
5 unter Meinungen verwandelt, bestritten wird, umformuliert, Gegenstand des Gespräches ist wie andere Gegenstände auch. Nicht nur die Einsicht, dass es die eine Wahrheit innerhalb der Menschenwelt nicht geben kann, sondern die Freude, dass es sie nicht gibt und das unendliche Ge-
10 spräch zwischen den Menschen nie aufhören werde, solange es Menschen überhaupt gibt, kennzeichnet die Größe Lessings. In dem Meinungsstreit, in dem dieser Ahnherr und Meister aller Polemik in deutscher Sprache zu Hause war und in dem er immer eine bestimmte, sehr ausge-
15 sprochene Meinung als die seinige vertrat, hätte die eine Wahrheit, wenn es sie überhaupt geben sollte, sich nicht anders als eine Katastrophe auswirken können.

Aus: Hannah Arendt: Menschen in finsteren Zeiten. München, Zürich: Piper, 1989, S. 44

8. Szeneninterpretation vor dem Hintergrund einer Psychologie der Kommunikation

Friedemann Schulz von Thun: Psychologie der zwischenmenschlichen Kommunikation (1981)

Die dramatische Sprache wird in den literaturwissenschaftlichen Interpretationen mithilfe verschiedener Modelle untersucht. So hat etwa Benno von Wiese das Gespräch als „das Wesen des Dramas" bezeichnet, auf das sich Dialog und Monolog zurückführen lassen. 5
Die Sprache des Dramas bestätigt aber auch eine der wichtigsten Einsichten der modernen Sprachphilosophie, dass Sprechen Handeln ist, insbesondere Beziehungshandeln.
F. Schulz von Thun stellt in seinem Text vier wesentliche Aspekte sprachlicher Mitteilungen heraus. 10

Schauen wir uns die „Nachricht" genauer an. Für mich selbst war es eine faszinierende „Entdeckung", die ich in ihrer Tragweite erst nach und nach erkannt habe, *dass ein und dieselbe Nachricht stets viele Botschaften gleichzeitig enthält.* Dies ist eine Grundtatsache des Lebens, um die wir 15 als Sender und Empfänger nicht herumkommen. Dass jede Nachricht ein ganzes Paket mit vielen Botschaften ist, macht den Vorgang der zwischenmenschlichen Kommunikation so kompliziert und störanfällig, aber auch so aufregend und spannend. 20
Um die Vielfalt der Botschaften, die in einer Nachricht stecken, ordnen zu können, möchte ich vier seelisch bedeutsame Seiten an ihr unterscheiden. Ein Alltagsbeispiel:

Der Mann (= Sender) sagt zu seiner am Steuer sitzenden 25 Frau (= Empfänger): „Du, da vorne ist grün!" – Was steckt alles drin in dieser Nachricht, was hat der Sender (bewusst oder unbewusst) hineingesteckt, und was kann der Empfänger ihr entnehmen?

1. Sachinhalt
(oder: Worüber ich mich informiere)

Zunächst enthält die Nachricht eine Sachinformation. Im Beispiel erfahren wir etwas über den Zustand der Ampel – sie steht auf Grün. Immer wenn es um „die Sache" geht, steht diese Seite der Nachricht im Vordergrund – oder
5 sollte es zumindest.

Auch im Augenblick übermittle ich in diesem Kapitel an den Leser zahlreiche Sachinformationen. Sie erfahren hier Grundlagen der Kommunikationspsychologie. – Dies ist jedoch nur ein Teil von dem, was sich gegenwärtig zwischen mir (dem
10 Sender) und Ihnen (den Empfängern) abspielt. Wenden wir uns daher dem zweiten Aspekt der Nachricht zu:

2. Selbstoffenbarung
(oder: Was ich von mir selbst kundgebe)

In jeder Nachricht stecken nicht nur Informationen über die mitgeteilten Sachinhalte, sondern auch Informationen über die Person des Senders. Dem Beispiel können wir
15 entnehmen, dass der Sender offenbar deutschsprachig und vermutlich farbtüchtig ist, überhaupt, dass er wach und innerlich dabei ist. Ferner: dass er es vielleicht eilig hat usw. Allgemein gesagt: In jeder Nachricht steckt ein Stück Selbstoffenbarung des Senders. Ich wähle den Begriff der Selb-
20 stoffenbarung, um damit sowohl die gewollte *Selbstdarstellung* als auch die unfreiwillige *Selbstenthüllung* einzuschließen. Diese Seite der Nachricht ist psychologisch hochbrisant, wie wir sehen werden.

Auch während Sie dieses jetzt lesen, erfahren Sie nicht
25 nur Sachinformationen, sondern auch allerhand über mich, Schulz von Thun, den Autor. Über meine Art, Gedanken zu entwickeln, bestimmte Dinge wichtig zu finden. Würde ich Ihnen dieses mündlich vortragen, könnten Sie aus der Art, wie ich mich gäbe, vielleicht Informationen über meine Fä-
30 higkeiten und meine innere Befindlichkeit entnehmen. Der Umstand, dass ich – ob ich will oder nicht – ständig auch Selbstoffenbarungsbotschaften von mir gebe, ist mir als Sender wohl bewusst und bringt mich in Unruhe und in Bewegung. […]

3. Beziehung
(oder: Was ich von dir halte und wie wir zueinander stehen)

Aus der Nachricht geht ferner hervor, wie der Sender zum Empfänger steht, was er von ihm hält. [...]
Allgemein gesprochen: Eine Nachricht senden heißt auch immer, zu dem Angesprochenen eine bestimmte Art von Beziehung auszudrücken. Strenggenommen ist dies natürlich ein spezieller Teil der Selbstoffenbarung. Jedoch wollen wir diesen Beziehungsaspekt als davon unterschiedlich behandeln, weil die psychologische Situation des Empfängers verschieden ist: Beim Empfang der Selbstoffenbarung ist er ein nicht selbst betroffener Diagnostiker („Was sagt mir deine Äußerung über dich aus"), beim Empfang der Beziehungsseite ist er selbst „betroffen" (oft im doppelten Sinn dieses Wortes).
Genaugenommen sind auf der Beziehungsseite der Nachricht zwei Arten von Botschaften versammelt. Zum einem solche, aus denen hervorgeht, was der Sender vom Empfänger hält, wie er ihn sieht. In dem Beispiel gibt der Mann zu erkennen, dass er seine Frau für hilfebedürftig hält. – Zum anderen enthält die Beziehungsseite aber auch eine Botschaft darüber, wie der Sender *die Beziehung zwischen sich und dem Empfänger* sieht („so stehen wir zueinander"). Wenn jemand einen anderen fragt: „Na, und wie geht es in der Ehe?" – dann enthält diese Sach-Frage implizit auch die Beziehungsbotschaft: „Wir stehen so zueinander, dass solche (intimen) Fragen durchaus möglich sind". – Freilich kann es sein, dass der Empfänger mit dieser *Beziehungsdefinition* nicht einverstanden ist, die Frage für deplatziert und zudringlich hält. Und so können wir nicht selten erleben, dass zwei Gesprächspartner ein kräftezehrendes Tauziehen um die Definition ihrer Beziehung veranstalten.
Während also die Selbstoffenbarungsseite (vom Sender aus betrachtet) *Ich-Botschaften* enthält, enthält die Beziehungsseite einerseits *Du-Botschaften* und andererseits *Wir-Botschaften*.
Was spielt sich jetzt, während Sie diesen Text lesen, auf der Beziehungsseite der Nachricht ab? Indem ich überhaupt diesen Beitrag geschrieben und veröffentlicht habe,

gebe ich zu erkennen, dass ich Sie hinsichtlich unseres The-
mas für informationsbedürftig halte. Ich weise Ihnen die
Rolle des Schülers zu. Indem Sie lesen (und weiterlesen),
geben Sie zu erkennen, dass Sie eine solche Beziehung für
5 den Augenblick akzeptieren. Es könnte aber auch sein,
dass Sie sich durch meine Art der Entwicklung von Gedanken „geschulmeistert" fühlen. Dass Sie bei sich denken:
„Mag ja ganz richtig sein, was der da schreibt (Sachseite
der Nachricht), aber die dozierende Art fällt mir auf den
10 Wecker!" [...]

4. Appell
(oder: Wozu ich dich veranlassen möchte)

Kaum etwas wird „nur so" gesagt – fast alle Nachrichten
haben die Funktion, auf den Empfänger *Einfluss zu nehmen.*
In unserem Beispiel lautet der Appell vielleicht: „Gib ein
bisschen Gas, dann schaffen wir es noch bei Grün!"
15 Die Nachricht dient also (auch) dazu, den Empfänger zu
veranlassen, bestimmte Dinge zu tun oder zu unterlassen,
zu denken oder zu fühlen. Dieser Versuch, Einfluss zu nehmen, kann mehr oder minder offen oder versteckt sein –
im letzteren Falle sprechen wir von Manipulation. Der ma-
20 nipulierende Sender scheut sich nicht, auch die anderen
drei Seiten der Nachricht in den Dienst der Appellwirkung
zu stellen. Die Berichterstattung auf der Sachseite ist dann
einseitig und tendenziös, die Selbstdarstellung ist darauf
ausgerichtet, beim Empfänger bestimmte Wirkung zu er-
25 zielen (z.B. Gefühle der Bewunderung oder Hilfsbereit-
schaft); und auch die Botschaften auf der Beziehungsseite
mögen von dem heimlichen Ziel bestimmt sein, den anderen „bei Laune zu halten" (etwa durch unterwürfiges
Verhalten oder durch Komplimente). Wenn Sach-, Selbst-
30 offenbarungs- und Beziehungsseite auf die Wirkungsver-
besserung der Appellseite ausgerichtet werden, werden sie
funktionalisiert, d.h. spiegeln nicht wider, was ist, sondern
werden zum Mittel der Zielerreichung. [...]

Aus: Friedemann Schulz von Thun: Miteinander reden: Störungen und Klärun-
gen. Psychologie der zwischenmenschlichen Kommunikation.
Reinbek bei Hamburg: © Rowohlt, 1981, S. 26-29

1) Lesen Sie den Text aufmerksam durch und stellen Sie dann die wesentlichen Merkmale der vier Aspekte einer sprachlichen Mitteilung schriftlich zusammen (Einzelarbeit).

2) Verdeutlichen Sie an einer einfachen sprachlichen Information, wie durch Veränderungen in der Formulierung und Betonung die vier Aspekte unterschiedlich stark hervorgehoben werden können (Partnerarbeit).

3) Stellen Sie im Kursplenum die Ergebnisse zur Diskussion. Greifen Sie die Korrekturvorschläge auf und halten Sie die Formulierungen schriftlich fest, die den vier Aussagedimensionen am besten entsprechen (Aussprache im Plenum/Partnerarbeit).

Zur ‚Anwendung' der vier Aspekte auf die Untersuchung einer dramatischen Szene eignen sich (zunächst) vor allem kurze Dialoge, an denen nicht mehr als zwei Personen beteiligt sind.

Beispiele: I, 8 Camillo Rota. Der Prinz
           II, 2 Odoardo und Claudia Galotti

Untersuchen Sie die Äußerungen der dramatischen Personen nach vier Kategorien:

Arbeiten Sie jeweils heraus,

• welche „Beziehungsbotschaft" im Vordergrund steht,
• in welchem Verhältnis der Sachinhalt zur „Beziehungsbotschaft" steht,
• welche Beziehungskonstellation in den sprachlichen Äußerungen zum Ausdruck kommt,
• welche möglichen Konsequenzen sich für die dramatische Handlung daraus ergeben können (Konflikte!),
• in welcher Weise die Sprachhandlung gestisch bzw. durch entsprechende Bewegungen auf der Bühne unterstützt werden könnte.